Variations énigmatiques

Eric-Emmanuel Schmitt

Variations énigmatiques

Albin Michel

À Bernard Murat

Le bureau d'Abel Znorko, prix Nobel de lit-
térature. Il vit seul, retiré à Rösvannöy, une île
située sur la mer de Norvège. Son bureau,
baroque, fantasque, tout en livres et en bois,
s'ouvre sur une terrasse qui laisse apercevoir les
flots lointains.

Les heures viennent s'inscrire dans le ciel que
brouillent de temps en temps nuages et nuées
d'oiseaux sauvages. Cet après-midi est précisé-
ment celui où, après un jour boréal qui a duré
six mois, doit advenir la nuit d'hiver qui assom-
brira les six prochains mois. Au milieu de l'en-
trevue, le crépuscule commencera à colorer l'ho-
rizon de ses embrasements violets.

Variations énigmatiques

Au lever de rideau, la pièce est vide. On entend les Variations énigmatiques *d'Elgar sortir d'un appareil à musique.*

Puis, au-dehors, retentissent deux coups de feu très distincts. Un bruit de pas rapides. Une course.

Erik Larsen entre en courant par la baie, essoufflé, et surtout effrayé. C'est un homme entre trente et quarante ans qui a gardé quelque chose de très vif et très doux lié à la jeunesse.

Il regarde autour de lui, impatient de trouver un secours.

Abel Znorko entre par le côté. Grand, hautain, l'œil perçant, il jette un regard de chasseur sur l'intrus. Dès qu'il pénètre dans la pièce, tout se recentre et s'organise autour de lui. Il reçoit chez lui comme un démiurge au cœur de sa création.

Après avoir profité un instant du désarroi d'Erik Larsen, il arrête brusquement la musique.

Erik Larsen se retourne, découvre l'écrivain et se précipite, véhément, vers lui.

ERIK LARSEN. Vite, intervenez! On vient de me tirer dessus. Il y a un fou sur l'île. Lorsque je montais le chemin, deux balles m'ont sifflé aux oreilles et se sont plantées dans le portail.

ABEL ZNORKO. Je sais.

ERIK LARSEN. Il faut nous protéger.

ABEL ZNORKO. Vous êtes en sécurité ici.

ERIK LARSEN. Mais que se passe-t-il?

ABEL ZNORKO. Rien de dramatique. Je vous ai raté, c'est tout.

Larsen recule, abasourdi. Il n'arrive pas à croire ce qu'il entend.

ERIK LARSEN. Comment?

ABEL ZNORKO. Cela ne me gêne pas de reconnaître mes erreurs : j'avoue qu'avec l'âge je ne vise plus aussi bien qu'avant. Croiriez-vous qu'un homme raisonnable s'amuserait à saccager son propre portail en bois?

Variations énigmatiques

Larsen se précipite vers la baie pour repartir. Znorko l'arrête en s'interposant.

ABEL ZNORKO. Ne craignez rien. Je ne tire que sur les gens qui s'approchent de ma maison : une fois qu'ils sont chez moi, ils sont mes hôtes. Faire feu sur un rôdeur relève d'une méfiance légitime, mais ajuster un invité tiendrait de l'assassinat, ttt ttt… *(Charmant, il lui saisit son manteau pour le débarrasser. Il ajoute, avec un étrange sourire :)* Mon invité ou un cadavre, c'est l'alternative.

ERIK LARSEN *(glacé)*. On ne sait que choisir…

Znorko rit comme s'il s'agissait d'une politesse mondaine. Larsen tente de renormaliser l'entretien.

ERIK LARSEN. Monsieur Znorko, vous avez dû oublier notre rendez-vous.

ABEL ZNORKO. Notre rendez-vous ?

ERIK LARSEN. Nous étions convenus de nous

retrouver ici, à Rösvannöy, vers seize heures. J'ai fait trois cents kilomètres et une heure de bateau pour rejoindre votre île.

ABEL ZNORKO. Qui êtes-vous ?

ERIK LARSEN. Erik Larsen.

Znorko le regarde, attendant toujours une réponse. Du coup, Larsen, croyant qu'il n'a pas entendu, répète plus fort :

ERIK LARSEN. Erik Larsen.

ABEL ZNORKO. Et cela vous suffit comme réponse ?

ERIK LARSEN. Mais…

ABEL ZNORKO *(avec une ironie joyeuse)*. Quand vous vous interrogez sur vous-même, lorsque, sous un ciel d'étoiles muettes et innombrables, vous vous demandez qui vous êtes, squelette fessu et grelottant au milieu d'un univers hostile, au mieux indifférent, vous répondez : « Je suis Erik Larden »? Et vous arrivez à vous contenter de ces quelques syllabes stupides? « Je suis Erik Larden »...

ERIK LARSEN *(par réflexe).* Larsen...

ABEL ZNORKO *(goguenard).* Oh, pardon, Larsen... je comprends... la quintessence de votre être tient dans le *s*... Larsen... *(Se moquant.)* Bien sûr... c'est impressionnant... Larsen... Erik Larsen... c'est quelque chose qui comble un trou ontologique, qui bouche les abîmes de la création... oui, oui, l'œuvre de Kant ou de Platon me semble un mauvais soufflé métaphysique auprès de la consistance de ce *s*... Larsen... bien sûr, c'est évident, comment n'y avais-je pas pensé plus tôt?

ERIK LARSEN. Monsieur Znorko, je suis journaliste à *La Gazette de Nobrovsnik* et vous avez accepté de vous prêter à un entretien avec moi.

ABEL ZNORKO. Fabulation! Je déteste les journalistes et je ne converse qu'avec moi-même.

(Un temps.) Je ne vois pas pour quelle raison je me serais laissé envahir.

ERIK LARSEN. Moi non plus.

Un temps. Ils se regardent, ou plutôt ils se dévisagent. Larsen prononce lentement :

ERIK LARSEN. Vous m'avez confirmé ce rendez-vous par écrit.

Larsen lui tend une feuille. Un peu forcé par son insistance, Znorko saisit le papier et le survole d'un œil. Il a plaisir à décontenancer son visiteur.

ABEL ZNORKO. Amusant. *(Un temps.)* Avez-vous une idée de ce qui m'a conduit à accepter cet entretien avec vous ?

ERIK LARSEN. J'ai quelques hypothèses.

ABEL ZNORKO. Ah ?

Ils se regardent. Un temps.

ERIK LARSEN *(précisant)*. Une hypothèse.

ABEL ZNORKO. Ah! *(Znorko finit par sourire et devient subitement charmant.)* Je crois que nous allons très bien nous entendre. *(Il claque dans ses mains.)* Bon, au travail. J'imagine que vous avez un de ces machins qui me donnent une voix de fausset et des intonations ridicules, un magnétophone? *(Larsen le sort de sa sacoche.)* Ce sont toujours les gens qui m'enregistrent qui m'attribuent ensuite des phrases que je n'ai pas prononcées. Paradoxal, n'est-ce pas? C'est prendre des béquilles pour trébucher. *(Il s'installe dans un fauteuil.)* Est-ce que vous aimez mes livres?

ERIK LARSEN. Est-ce vous qui allez poser les questions?

ABEL ZNORKO. Nous n'avons pas commencé. Aimez-vous mes livres?

ERIK LARSEN *(installant son magnétophone)*. Je ne sais pas.

ABEL ZNORKO. Pardon ?

ERIK LARSEN. C'est un peu comme pour Dieu, je ne sais pas.

ABEL ZNORKO *(agacé)*. Vous n'êtes pas clair.

ERIK LARSEN. Dieu, on en entend parler bien trop longtemps avant de se poser sincèrement la moindre question à son sujet. Dès lors, quand on commence à y réfléchir, on est déjà sous influence... on est intimidé... on se dit que les hommes n'en discuteraient pas depuis des millénaires s'il n'existait vraiment pas. Votre réputation me fait le même effet : elle m'a toujours empêché d'avoir un avis propre. Prix Nobel, traduit dans trente pays, décortiqué par les grandes universités, vous brillez trop pour moi, cela m'aveugle.

ABEL ZNORKO *(simplement)*. Prix Nobel... ne vous laissez pas éblouir par une médaille.

ERIK LARSEN. Il faut l'avoir pour ne pas être

impressionné. Il n'y a que vous pour être si modeste.

Znorko éclate de rire.

ABEL ZNORKO. Modeste, moi ? Je ne crois pas que la modestie existe. Regardez un modeste : ses rougeurs et son trouble ne sont guère que les contorsions de son immodestie qui cherche à se donner un mérite supplémentaire. *(Brusquement, il fixe intensément le journaliste.)* Donc vous étiez en train de me dire poliment que vous n'aimez pas mes livres.

ERIK LARSEN. Non, mais il est tellement posé comme axiome que vous êtes admirable que cela me paralyse l'admiration. Je saurai mieux ce que j'en pense quelques années après votre mort…

ABEL ZNORKO. Charmant… Vous m'avez lu, au moins ?

ERIK LARSEN *(gravement)*. Comme personne. *(Un temps. Léger malaise de part et d'autre.)* Pouvons-nous commencer ?

Variations énigmatiques

Znorko s'éclaircit la voix et fait un signe positif de la tête. Larsen lance l'enregistrement.

ERIK LARSEN. Vous venez de publier *L'Amour inavoué*, votre vingt et unième livre. Il s'agit d'une correspondance amoureuse entre un homme et une femme. Cette passion est d'abord vécue sensuellement pendant quelques mois dans le plus grand bonheur puis l'homme décide d'y mettre un terme. Il exige la séparation, une séparation de corps ; il demande que cette passion ne se vive plus, désormais, qu'à travers l'écriture. La femme, à contrecœur, accepte. Ils s'écriront pendant des années, quinze ans, je crois… Le livre est fait de cette sublime correspondance qui s'arrête, d'ailleurs, brusquement, il y a quelques mois, l'hiver dernier, sans raison apparente…

ABEL ZNORKO. J'étais fatigué d'écrire.

ERIK LARSEN. Vous avez créé une grande surprise avec ce roman : c'est la première fois que vous parlez d'amour. Votre terrain de prédilection est d'ordinaire le roman philosophique, vous installez vos fictions sur des hauteurs habitées par l'esprit seul, loin de tout réalisme, dans un monde qui n'appartient qu'à vous. Et là, subitement, vous parlez d'une aventure presque ordinaire, quotidienne... l'affection d'un homme — un écrivain tout de même — et d'une femme, une histoire de chair et de sang où frémit le souffle de la vie. De l'avis de tous, c'est votre plus beau livre, le plus sensible, le plus intime. Les critiques, qui vous ont parfois malmené, ont été très élogieux. C'est un concert de compliments.

ABEL ZNORKO *(sincèrement étonné)*. Ah bon ?

ERIK LARSEN. Vous ne lisez pas les journaux ?

ABEL ZNORKO. Non.

ERIK LARSEN. Vous n'avez ni radio ni télévision ?

ABEL ZNORKO. Je ne tiens pas à être submergé de banalités... *(Troublé.)* Ah... ils ont aimé ? Décidément, je ne comprendrai jamais rien à ces oiseaux-là. Eux non plus, d'ailleurs. Qu'ils louent ou qu'ils blâment, ils parlent et ne saisissent rien. *(Goguenard.)* Vingt-cinq ans de malentendus avec la critique, c'est ce qu'on appelle une belle carrière?

ERIK LARSEN. Mais qu'est-ce que cela vous fait de savoir que, de manière unanime, ce vingt et unième livre est reconnu comme votre chef-d'œuvre?

ABEL ZNORKO *(simplement)*. Cela me fait de la peine pour les autres livres.

Larsen le regarde, étonné. Znorko est touchant subitement.

ERIK LARSEN. On dirait que vous aimez vos livres comme des enfants.

ABEL ZNORKO *(fuyant)*. Ce sont eux qui me font vivre ; je suis un père entretenu mais reconnaissant.

ERIK LARSEN *(insistant)*. J'ai senti une amertume dans votre réaction. Vous avez tout, le talent, les honneurs, le succès, et vous n'avez pas l'air heureux.

ABEL ZNORKO *(se fermant)*. Ne nous égarons pas, reprenez.

ERIK LARSEN *(revenant à l'entretien)*. Pouvez-vous nous parler de cette femme, Eva Larmor ?

ABEL ZNORKO. Pardon ?

ERIK LARSEN. Cette correspondance est signée Abel Znorko-Eva Larmor. J'ai quelques notions concernant votre vie mais je ne sais rien d'elle. Parlez-nous d'Eva…

ABEL ZNORKO. Mais cette femme n'existe pas.

ERIK LARSEN. Vous voulez dire que toute cette histoire est inventée ?

ABEL ZNORKO. Je suis un écrivain, pas une photocopieuse.

ERIK LARSEN. Mais pourtant, vous vous représentez dans le livre !

ABEL ZNORKO. Moi ?

ERIK LARSEN. Vous êtes l'homme de cette correspondance ! Pourquoi les lettres de l'homme seraient-elles signées Abel Znorko ?

ABEL ZNORKO. Parce que c'est moi qui les ai écrites.

ERIK LARSEN. Mais les autres, signées Eva Larmor ?

ABEL ZNORKO. Parce que je les ai écrites aussi et que la femme que j'étais en les écrivant s'appelait Eva Larmor.

ERIK LARSEN. Vous voulez dire que cette Eva Larmor n'existe pas ?

ABEL ZNORKO. Non.

ERIK LARSEN. Et qu'elle n'est inspirée par personne?

ABEL ZNORKO. Pas à ma connaissance.

ERIK LARSEN *(soupçonneux)*. Pas inspirée par une femme, ou des femmes, que vous auriez aimées?

ABEL ZNORKO. Qu'est-ce que cela peut vous faire? Ce qu'il y a de beau dans un mystère, c'est le secret qu'il contient, et non la vérité qu'il cache. *(Brusquement sec.)* Quand vous allez au restaurant, entrez-vous par la cuisine? Et fouillez-vous les poubelles en sortant?

Larsen le regarde. Il sent que Znorko pourrait mordre mais il prend le courage d'insister.

ERIK LARSEN. Je me disais, bêtement peut-être, qu'il y a des détails qui ne s'inventent pas.

ABEL ZNORKO. « Bêtement » est le terme exact. Je voudrais bien savoir ce qu'est un détail qui ne s'invente pas? Est-ce que le talent de romancier n'est pas justement d'inventer des détails qui ne s'inventent pas, qui ont l'air vrai ? Quand une page sonne authentiquement, elle ne le doit pas à la vie mais au talent de son auteur. La littérature ne bégaie pas l'existence, elle l'invente, elle la provoque, elle la dépasse, monsieur Larden.

ERIK LARSEN *(lui tenant tête)*. Larsen. Vous vous rétractez dès que je pose une question personnelle.

ABEL ZNORKO. Je préfère les questions intelligentes.

ERIK LARSEN. Je fais mon métier.

ABEL ZNORKO. N'importe quel microcéphale lobotomisé me poserait la même question que vous : quel rapport entre ce que vous écrivez et ce que vous vivez ? À force de consigner les événements dans vos folioles graisseuses, à force d'étaler votre syntaxe d'anémique, à force de copier, recopier, rapporter et reproduire, vous êtes devenus des infirmes de la création et vous croyez que toute personne qui prend la plume agit comme vous! Je crée, moi, monsieur, je ne rapporte pas. Est-ce que vous auriez demandé à Homère s'il avait vécu sur l'Olympe, au milieu des dieux?

ERIK LARSEN. Vous vous prenez pour Homère?

ABEL ZNORKO. Non, mais je vous prends pour un journaliste, c'est-à-dire tout ce que je ne supporte pas!

Larsen, furieux, remballe ses affaires.

ERIK LARSEN. Très bien. Je suis désolé, je ne vais pas vous importuner plus longtemps. Je n'ai rien à faire ici! Je... je vous demande pardon du dérangement.

ABEL ZNORKO *(légèrement étonné)*. Mais qu'est-ce qui vous prend? Nous causons tranquillement. *(Souriant.)* Je vous trouve beaucoup moins sot que la moyenne de vos confrères. De quoi vous plaignez-vous? Je vous réponds.

Larsen, agacé, ne sait pas comment le prendre.

ERIK LARSEN. Vous me répondez par des insultes.

ABEL ZNORKO. C'est tout ce que j'ai de disponible pour certaines questions.

ERIK LARSEN. Vous vous estimez toujours supérieur à votre interlocuteur ?

ABEL ZNORKO. Vous n'avez tout de même pas la prétention de valoir plus que moi ?

ERIK LARSEN. Non, monsieur Znorko, non, je n'ai pas de prétention du tout. Je ne suis pas un grand écrivain, même pas un écrivain, je n'ai jamais tracé une seule phrase qui méritât d'être retenue mais j'ai toujours été respectueux des personnes que j'ai rencontrées et j'ai pris l'habitude, quand on me demande quelque chose, de répondre sincèrement.

ABEL ZNORKO. Vos habitudes sont déplorables.

ERIK LARSEN. Alors adieu, monsieur.

Znorko tente de le retenir.

ABEL ZNORKO. Mais enfin, que voulez-vous exactement ? Je fais l'exception de vous recevoir et vous partez. Qu'est-ce que vous voulez que je ne vous donne pas ?

ERIK LARSEN. La vérité.

ABEL ZNORKO. Ne soyez pas vulgaire. Ditesvous toujours la vérité, monsieur Larsen ?

ERIK LARSEN *(gêné).* J'essaie.

ABEL ZNORKO. Moi, jamais.

ERIK LARSEN. Mais je connais vos fictions, j'en sais ce que chacun en sait. Si j'ai voulu rencontrer l'homme, c'est pour en apprendre plus.

ABEL ZNORKO. Comment pouvez-vous être sûr que la vérité apporte « plus » que le mensonge ?

ERIK LARSEN. La vérité, monsieur Znorko !

ABEL ZNORKO *(fermé)*. Ah, n'insistez pas, je suis un faussaire, et rien d'autre. Vous vous êtes trompé de boutique : la vérité, je ne vends pas. Je ne fournis que des artifices. Mais apercevez donc vos contradictions : vous venez voir un homme célèbre pour sa fabrique de mensonges et vous lui demandez de vous fournir la vérité… Autant aller acheter votre pain chez le boucher.

ERIK LARSEN. Vous avez raison, je me suis trompé. Au revoir.

Il se dirige vers la porte. Soudain, très prestement, Znorko s'interpose. Il a retrouvé le sourire, il est charmant.

ABEL ZNORKO *(amusé)*. Tenez, vous êtes moins lâche que je ne croyais : je vous pensais incapable, comme tous vos collègues, de vous mettre en colère. Vous me plaisez. *(Il lui tape amicalement dans le dos.)* Allons, ne vous emportez pas et causons tranquillement. Je tiens à ce que vous restiez. Je vous écoute.

Larsen hésite puis se réinstalle sur le canapé.

ABEL ZNORKO. Vous boirez bien quelque chose ? Un godet. Un petit godet. *(Chantonnant.)* Rien de tel qu'un petit godet glacé pour déglutir la glotte.

Larsen accepte le verre et boit, épuisé par la tension de leur discussion.

ERIK LARSEN. Lorsqu'on me disait que vous étiez antipathique, je croyais qu'on exagérait.

ABEL ZNORKO. Un conseil : n'écoutez jamais quelqu'un qui dit du bien de moi mais écoutez toujours celui qui en dit du mal, c'est le seul qui ne me sous-estime pas.

ERIK LARSEN. À croire que vous avez du plaisir à être odieux….

ABEL ZNORKO. J'ai horreur de cette nouvelle

mode qui consiste à être « sympathique ». On se frotte à n'importe qui, on lèche, on se fait lécher, on jappe, on tend la patte, on donne ses dents à compter... « Sympathique », quelle chute !...

ERIK LARSEN. Votre réputation de misanthrope ne relève donc pas de la légende. Depuis combien de temps demeurez-vous sur cette île ?

ABEL ZNORKO. Une dizaine d'années.

ERIK LARSEN. Vous ne vous ennuyez pas ?

ABEL ZNORKO *(simplement)*. En ma compagnie ? Jamais.

ERIK LARSEN *(légèrement ironique)*. N'est-ce pas fatigant de vivre avec un génie ?

ABEL ZNORKO. Moins que de vivre avec un imbécile. *(Il regarde la baie.)* Je suis bien à Rösvannöy. L'aurore dure six mois, le crépuscule six autres ; j'échappe à ce que la nature peut avoir de fastidieux ailleurs, les saisons, les climats mitigés, cette alternance quotidienne et idiote du jour et de la nuit. Ici, près du pôle, la nature ne s'agite plus, elle fait la planche. *(Un temps.)* Et puis il y a la mer, le ciel, la prairie, ces grandes pages blanches qui s'écrivent sans moi.

ERIK LARSEN. Combien peut-on passer d'années sans voir jamais les autres ?

ABEL ZNORKO. Combien peut-on passer d'années en les voyant tous les jours ?

ERIK LARSEN. Cependant, quand on vous lit, vos romans sont tellement riches de notations précises sur la nature humaine qu'on doit admettre que, si vous ne fréquentez pas les hommes, vous savez tout d'eux.

ABEL ZNORKO. Merci. Mais je n'ai aucun mérite. Il y a deux races particulièrement monotones dans le règne animal : les hommes et les chiens. On en a vite fait le tour.

ERIK LARSEN. Et qu'est-ce qui trouve grâce à vos yeux ?

ABEL ZNORKO. Les nuages… Les chats…

ERIK LARSEN. Je n'aime pas tellement les chats.

ABEL ZNORKO. Je l'ai tout de suite vu lorsque vous êtes entré.

> *Ils se regardent. Ils se taisent.*
> *Znorko s'assoit en face de Larsen et le contemple fixement. Il murmure d'une voix douce, comme s'il lisait une incantation sur le front de Larsen.*

ABEL ZNORKO. Vous avez le regard franc des âmes sentimentales, vous attendez trop des autres, vous pourriez vous sacrifier pour eux, un très brave homme, en somme. Attention, vous êtes dangereux pour vous-même, attention.

> *Larsen baisse la tête, touché, gêné. Il tente de briser le charme.*

ERIK LARSEN. Revenons à votre livre. Parlez-nous de votre conception de l'amour.

ABEL ZNORKO. Pourquoi dites-vous « nous » quand vous me posez une question ?

ERIK LARSEN. Je parle au nom de mes lecteurs.

ABEL ZNORKO. Foutre ! Épargnez-moi votre mégalomanie. Vous ne parlez pas au nom du peuple sous prétexte qu'il y a un nombre régulier de couillons qui achètent votre torchon pour emballer leurs légumes.

ERIK LARSEN *(se corrigeant docilement)*. Parlez-moi de votre conception de l'amour.

ABEL ZNORKO. Je hais l'amour. C'est un sentiment que j'ai toujours voulu m'éviter. Il me le rend bien, d'ailleurs.

ERIK LARSEN *(étonné)*. Vous voulez dire que vous n'avez jamais été amoureux ?

ABEL ZNORKO. Si, à dix-huit ans, au moment où j'ai essayé l'alcool, la cigarette, les voitures, les filles, et autres signes rituels censés me faire rentrer dans l'univers adulte. Mais non, très peu de temps après, je me suis débarrassé de l'amour…

ERIK LARSEN. Pourtant… vous avez été aimé?

ABEL ZNORKO. Désiré. Énormément. Les lectrices prêtent toutes les vertus à un écrivain. Lorsque je me rendais dans une foire aux livres, je provoquais autant d'évanouissements qu'une rock-star. Je ne compte plus le nombre de jolies femmes qui m'ont offert leur corps et leur vie.

ERIK LARSEN. Ah! Et alors?

ABEL ZNORKO. Je prenais le corps, je leur laissais la vie. *(Riant.)* Jeune, je me suis d'ailleurs rapidement spécialisé dans la femme mariée, histoire d'être plus tranquille : l'adultère protège des sentiments.

ERIK LARSEN. Vous n'avez pas craint la colère des maris?

ABEL ZNORKO. Les maris ne tuent pas par

jalousie, ils se sont endormis avant. *(Un temps.)* Votre appareil nous enregistre en ce moment ?

ERIK LARSEN. Oui.

ABEL ZNORKO *(avec un regard ambigu)*. Vérifiez.

ERIK LARSEN *(se penchant)*. La bande tourne.

ABEL ZNORKO *(continuant avec un petit sourire)*. Ça n'a pas toujours été facile de vivre hors de ces normes-là. Il faut courir vite et longtemps pour échapper à la médiocrité triomphante.

ERIK LARSEN. Je ne comprends pas qu'on puisse percevoir l'amour comme une médiocrité.

ABEL ZNORKO. Écoutez, mon petit Larsen-Larden, je vais vous raconter une vieille légende d'ici. C'est un conte que marmonnent parfois les vieux pêcheurs du nord en ravaudant leurs filets à morue.

Il fut un temps où la terre prodiguait le bonheur aux hommes. La vie avait un goût d'orange, d'eau fraîche et de sieste au soleil. Le travail n'existait pas. On mangeait, on buvait, on dormait, hommes et femmes s'emboîtaient naturellement dès qu'ils ressentaient une démangeaison de l'entrejambe, rien ne portait à conséquence, le couple n'existait pas, seulement l'accouplement, aucune loi ne régissait le haut des cuisses, le seul plaisir régnait.

Mais le Paradis est ennuyeux comme le bonheur. Les hommes se rendirent compte que le sexe toujours satisfait s'avérait encore plus monotone que le sommeil qui le suit. La gymnastique de la jouissance commençait à les lasser.

Alors les hommes créèrent l'interdit.

Ils décrétèrent certaines liaisons illicites. Comme des cavaliers à une course d'obstacles, ils trouvèrent la piste moins ennuyeuse barrée de plusieurs empêchements. L'interdit leur donna le goût pulpeux et cependant amer de la transgression.

Mais on se lasse d'escalader toujours les mêmes montagnes.

Alors les hommes voulurent inventer quelque chose d'encore plus compliqué que le vice : ils inventèrent l'impossible, ils inventèrent l'amour.

ERIK LARSEN. C'est ridicule !

ABEL ZNORKO. L'amour n'est rien qu'une perversion de la sexualité, un détour, une erreur, un chemin de traverse où musardent ceux qu'ennuie le coït.

ERIK LARSEN. Aberrant !

ABEL ZNORKO. Mais si, comprenez l'avantage : le plaisir se tient dans l'instant, fugace, futile, toujours évanoui ; l'amour, lui, se loge dans la durée. Enfin du solide, du contrarié, du consistant ! L'amour ouvre le temps aux dimensions d'une histoire, crée des étapes, des approches, des refus, des chagrins, des soupirs, des joies, des peines et des retournements, bref, l'amour offre la séduction du labyrinthe. *(Simplement.)* Voilà, mon petit Larsen, ce n'est rien d'autre, l'amour : l'histoire que s'inventent dans la vie ceux qui ne savent pas inventer des histoires dans les mots.

ERIK LARSEN. Vous venez de la composer ou cette légende existe vraiment?

ABEL ZNORKO. À votre avis?

ERIK LARSEN. Qui l'a écrite?

ABEL ZNORKO. Qui écrit les légendes?

Larsen soupire et reprend son bloc-notes.

ERIK LARSEN. Si je vous suis bien, vous, dans votre vie, vous avez évité l'amour et vous vous êtes contenté du sexe.

ABEL ZNORKO. Voilà!

ERIK LARSEN *(moqueur)*. Ce ne doit pas être évident, isolé au milieu des eaux.

ABEL ZNORKO *(amusé)*. Et comment croyez-vous que je mange? En grattant les écorces avec mes petits ongles pointus? On me livre tout, ici, du pain, des légumes, de la viande, de la femme.

41

ERIK LARSEN. Je sais… Je sais… Lorsque j'ai pris le bac, le passeur m'a parlé de ces dames… Il m'a même susurré le surnom qu'elles vous donnent…

ABEL ZNORKO. Ah?

ERIK LARSEN. Vous le connaissez?

ABEL ZNORKO. Non.

ERIK LARSEN. L'ogre de Rösvannöy.

Abel Znorko éclate de rire.

ERIK LARSEN *(mystérieux).* L'ogre de Rösvannöy… C'est beau comme une légende… Qui invente les légendes? *(Un temps.)* Et que protègent les légendes?

Ils se toisent, muets un instant. Ils évitent l'affrontement direct une nouvelle fois.
Znorko retourne à la situation de l'entrevue professionnelle.

ABEL ZNORKO. Pour revenir à votre question, je ne suis donc pas l'homme de mon livre. J'ai horreur des distractions qui compliquent. Je me suis tenu à l'écart de l'amour, c'est ma sagesse.

ERIK LARSEN. C'est extraordinaire… vous décrivez pourtant comme personne les états amoureux.

ABEL ZNORKO. Merci.

ERIK LARSEN. Et mieux encore les états de frustration amoureuse. *(Znorko, agacé, le regarde avec dureté.)* Cette femme n'existe pas ?

ABEL ZNORKO. Non.

ERIK LARSEN. La première page dédie le livre à H.M. Qui est-ce ?

ABEL ZNORKO. Si je voulais qu'on le sache, j'aurais écrit le nom entier.

ERIK LARSEN. Ce sont les initiales de la vraie femme avec qui vous avez échangé cette correspondance?

ABEL ZNORKO. Hypothèse délirante.

ERIK LARSEN. Je ne vous crois pas.

ABEL ZNORKO. Je m'en contrefous.

ERIK LARSEN. Si vous vous moquez de tout, que voulez-vous de moi? Pourquoi m'avoir laissé venir? Pourquoi moi plutôt qu'un autre?

Znorko le regarde sans prononcer un mot. Il paraît subitement très abattu. Il se laisse tomber sur un siège. Larsen l'observe avec compassion.

ERIK LARSEN. J'ai l'impression que vous souffrez...

ABEL ZNORKO *(las)*. Moi?

ERIK LARSEN. ... que vous n'êtes pas heureux.

ABEL ZNORKO *(simplement, songeur)*. Heureux, pour quoi faire?

Il se tait, absorbé.

ERIK LARSEN. Votre silence est tellement plus bavard que vos mots.

ABEL ZNORKO *(las)*. Économisez votre subtilité, je vais très bien.

Larsen s'approche et lui pose la main sur l'épaule.

ERIK LARSEN. Laissez-moi vous aider.

Znorko a un sursaut mais la main de Larsen, finalement, l'apaise. Il se laisse aller un instant à profiter de cet étrange contact.

ERIK LARSEN *(doux)*. Je suis un de ces inconnus insignifiants à qui l'on raconte sa vie, un soir de hasard, sans bien savoir pourquoi. Je n'ai pas d'importance. Je peux tout entendre… avec moi, rien ne prête à conséquence…

Variations énigmatiques

Znorko a un soupir.

ERIK LARSEN *(doucement)*. Parlez-moi d'elle.

Subitement irrité, Znorko se lève et lance son verre contre le mur. Bris de verre.

ABEL ZNORKO. Foutez-moi la paix. Votre gentillesse sent le chien mouillé. Escamotez-vous ! De l'air !

Larsen le regarde affectueusement, sans bouger, sans le croire. Znorko s'emporte, mal à l'aise.

ABEL ZNORKO. Allez ! La curiosité, la sollicitude, c'est irrespirable. On étouffe quand on est dans une pièce avec vous. Dehors ! J'aère ! Je ventile ! Adieu !

Et il se précipite sur la terrasse pour, effectivement, reprendre son souffle, comme s'il ne supportait pas la proximité physique de Larsen.
Larsen ramasse ses affaires, magnétophone, calepin. Mais, avant de sortir, il s'approche de l'appareil à musique et relance les Variations énigmatiques *d'Elgar.*

Variations énigmatiques

Surpris, Znorko lui jette un regard noir.

ABEL ZNORKO. Qui vous autorise?

ERIK LARSEN. Les *Variations énigmatiques.* Ma musique préférée. *(Un temps.)* La vôtre aussi.

ABEL ZNORKO. Mais...

Il s'interrompt puis, haussant les épaules avec mépris, s'absorbe dans la contemplation du paysage. Larsen enfile son imperméable.

ERIK LARSEN. Vous faites semblant de n'aimer personne mais c'est un leurre. J'ai appris ce que vous faisiez de votre argent.

ABEL ZNORKO. J'entasse, je thésaurise.

ERIK LARSEN. Vous donnez tout à la recherche médicale.

ABEL ZNORKO *(bondissant).* Impossible! Comment... *(Et, craignant de trop parler, il se tait.)*

C'est faux. *(Il se renferme dans le silence, regardant le lointain.)* C'est faux.

ERIK LARSEN. Adieu, monsieur Znorko.

ABEL ZNORKO. Adieu.

> *Larsen sort.*
> *Znorko revient dans la pièce, pensif. Il regarde autour de lui, hésitant. Il réfléchit. Puis il sort par la porte intérieure. La musique continue.*
> *Quelques secondes encore plus tard, on entend de nouveau deux coups de feu, puis, de nouveau, la cavalcade au-dehors.*
> *Larsen rentre, essoufflé, mais cette fois plus furieux qu'effrayé.*
> *Calmement, souverainement, Znorko apparaît.*

ERIK LARSEN. Mais vous êtes fou, complètement fou! Les balles sont passées à quelques centimètres de moi.

ABEL ZNORKO. Qu'est-ce que vous en concluez? Que je tire bien ou que je tire mal?

Variations énigmatiques

Larsen lance rageusement ses affaires à terre.

ERIK LARSEN. Qu'attendez-vous de moi, exactement ?

ABEL ZNORKO *(s'amusant)*. Vos impressions. Cela fait quel effet d'être pris pour un lapin ?

ERIK LARSEN. Que voulez-vous ? Mais dites-le, qu'on en finisse !

ABEL ZNORKO *(charmant)*. Asseyez-vous. Vous boirez bien quelque chose ? Un godet. Un petit godet. *(Chantonnant.)* Rien de tel qu'un petit godet glacé pour déglutir la glotte.

ERIK LARSEN. Ah, ne jouez pas les hospitaliers, c'est trop. Quand on décharge son fusil sur quelqu'un, on ne lui propose pas un verre trente secondes plus tard !

Znorko se verse un verre à lui-même. Quand il va le porter à ses lèvres, Larsen, furieux, le lui arrache et le boit d'un trait.
Znorko s'en sert calmement un autre.

ERIK LARSEN. Cela vous était tellement facile de refuser notre entretien, comme vous l'avez fait avec tous mes confrères. Non seulement vous m'avez reçu mais maintenant vous m'empêchez de partir. Qu'est-ce que vous attendez de moi ?

Ils se regardent.

ABEL ZNORKO. Et vous, qu'est-ce que vous voulez ? Comment savez-vous ce que je fais de mon argent ? J'ai exigé le secret.

ERIK LARSEN. Une enquête. Vous donnez des sommes énormes aux unités de recherches sur les plus graves maladies. N'importe qui se vanterait haut et fort d'en offrir le dixième. Pourquoi le passer sous silence ?

ABEL ZNORKO *(bougonnant).* Je ne donne pas par bonté, je donne par peur. *(Changeant rapidement de sujet, Znorko hausse les épaules. Il prend le magnétophone dans la sacoche de Larsen et le lui montre.)* Que faites-vous ici ? Vous êtes le premier journaliste à réussir à faire marcher un magnétophone sans prise ni piles.

ERIK LARSEN. Je...

ABEL ZNORKO. Vous ne l'aviez pas remarqué, peut-être ? Lorsque je vous l'ai demandé, vous m'avez assuré que la bande tournait.

ERIK LARSEN. Si... mais... il est tombé en panne pendant le voyage... de toute façon, ces appareils sont inutiles... je faisais semblant... ma mémoire suffit...

ABEL ZNORKO *(sceptique).* Ah oui ?

Larsen s'assoit. Il fixe le visage de Znorko. Il le défie.

ERIK LARSEN. Je reste. Il y a quelque chose qui m'amuse chez les menteurs, c'est qu'ils ne peuvent s'empêcher de dire la vérité. J'attends mon heure.

ABEL ZNORKO. Vous avez des provisions de bouche ?

ERIK LARSEN. J'attends.

ABEL ZNORKO. Quoi ?

ERIK LARSEN. Et vous ?

Ils se toisent. Znorko conclut légèrement.

ABEL ZNORKO. Qu'est-ce qu'un homme attend d'un autre homme ? C'est parce qu'ils ne le savent pas que les hommes continuent à se fréquenter.

ERIK LARSEN. Que voulez-vous ?

ABEL ZNORKO. Et vous ? *(Un temps.)* Terrible impasse : ils sont deux et aucun ne parlera le premier.

Il leur ressert à boire. Un temps.

ABEL ZNORKO. En attendant, parlez-moi de vous.

ERIK LARSEN. Je ne vois pas ce que je pourrais avoir envie de vous dire.

ABEL ZNORKO. Vous êtes marié ? *(Larsen ne répond pas.)* Oui, naturellement. Vous êtes marié et amoureux de votre femme, enfin vous le croyez.

ERIK LARSEN. Qu'est-ce qui vous fait dire cela ?

ABEL ZNORKO. Il émane de vous un fumet d'intense platitude ; cela sent la charentaise, le pot-au-feu, le mégot propre, le gazon coupé et la lavande dans les draps... Je ne vous vois pas risquer d'avoir un bonheur différent des autres. Tout est dans la norme et le morne. *(Il se met à rire.)*

ERIK LARSEN. Je suis ridicule à vos yeux ?

ABEL ZNORKO. Pire : ordinaire.

ERIK LARSEN. Vous jugez l'humanité comme si vous vous teniez au-dessus d'elle.

ABEL ZNORKO. Je suis tyrannique, prétentieux, insupportable, tout ce que vous voulez, mais pas ordinaire, non.

ERIK LARSEN. Effectivement, c'est curieux cette manière de retenir les gens pour les accabler... Qu'est-ce que cela cache?

ABEL ZNORKO *(souriant)*. Bonne question.

ERIK LARSEN. Allons... vous me parlez avec haine : pourquoi? D'où vient cette haine? La haine n'a jamais la haine pour origine, elle exprime... autre chose... la souffrance, la frustration, la jalousie, l'angoisse...

ABEL ZNORKO. Philosophe? Décidément, nous n'échapperons à aucune banalité.

ERIK LARSEN. L'amour parle au nom de l'amour mais la haine parle toujours pour quelque chose d'autre. De quoi souffrez-vous?

ABEL ZNORKO. C'est émouvant, ces trésors de compassion... Vous ne pouvez pas vous intéresser aux autres autrement qu'en infirmière?

ERIK LARSEN *(avec une simplicité émouvante).* Non, je ne peux pas. Quand je regarde un homme, je vois quelqu'un qui va mourir.

ABEL ZNORKO. Morbide.

ERIK LARSEN. C'est pour cela que j'ignore la colère, que je n'insulte pas, que je ne peux pas frapper. J'aperçois le squelette sous la chair.

ABEL ZNORKO *(furieux).* Eh bien moi, je vais très bien, merci !

ERIK LARSEN. Vraiment ? Vous crevez tellement de solitude et d'ennui que vous exécutez un numéro de cirque pour retenir le premier venu.

ABEL ZNORKO. Mais vous n'êtes pas tout à fait le premier venu.

ERIK LARSEN. Ah bon ? Pourquoi ? *(Un temps.)* Il serait temps de m'expliquer.

Znorko hésite puis finalement s'assoit.

ABEL ZNORKO. D'accord. Nous nous sommes

assez tournés autour en reniflant. *(Il décide de parler franchement.)* Je... je vous ai fait venir lorsque j'ai su que vous habitiez.... Nobrovsnik. Vous habitez bien Nobrovsnik?

ERIK LARSEN *(satisfait de voir la tournure de l'entretien).* Oui.

ABEL ZNORKO. J'aimerais avoir des nouvelles de Nobrovsnik...

Larsen se détend et a un grand sourire. Il ne semble pas très surpris par la demande de Znorko.

ABEL ZNORKO. Parlez-moi de Nobrovsnik!

ERIK LARSEN. Vous connaissez?

ABEL ZNORKO. Oui... non... disons que je n'y suis jamais allé mais qu'on m'en a parlé... Pourquoi cette question?

ERIK LARSEN. Votre livre... Dans *L'Amour inavoué*, les descriptions que vous faites de la ville où habite cette femme, la femme aimée, eh bien… j'avais l'impression que c'était Nobrovsnik!

ABEL ZNORKO *(gêné)*. Ah oui?

ERIK LARSEN. Oui, vous appelez ce village autrement mais quand Eva Larmor évoque la distribution des rues en spirale, lorsqu'elle indique l'église de fer et de rondins bleus, elle décrit Nobrovsnik.

ABEL ZNORKO. Coïncidences…

ERIK LARSEN. Et lorsqu'elle s'attarde sur la fontaine du XVIIe siècle qui retrace la conquête du Grand Pôle par le roi Gustave? La seule fontaine figurative du XVIIe. Qui se trouve justement à Nobrovsnik… Incroyable, n'est-ce pas, pour quelqu'un qui ne connaît pas Nobrovsnik?

ABEL ZNORKO. Oui… oui… nous avons parfois de ces visions… Mais alors, j'imagine que vous n'êtes pas le seul habitant de Nobrovsnik à vous être rendu compte de cette proximité?

ERIK LARSEN. Sans doute... mais vous savez, dans une si petite ville, j'ai peur que vous n'ayez peu de lecteurs...

ABEL ZNORKO *(déçu)*. Ah ? Vraiment... Vous n'avez parlé de mon livre avec personne, là-bas ?

ERIK LARSEN. Non... pas que je sache... *(S'illuminant.)* Ah si, il y a quelqu'un qui vous lit, qui vous aime beaucoup, qui vous vénère même, ah oui, comment n'y avais-je pas pensé !

ABEL ZNORKO *(presque fiévreux)*. Oui, dites, dites...

ERIK LARSEN. Le pasteur. Oui, le pasteur est fou de vous, je vous assure. Et c'est un homme difficile, d'une culture remarquable.

Znorko semble profondément déçu et Larsen s'amuse beaucoup de cette déception.

ABEL ZNORKO. Mais... il me semble pourtant... que... je crois me souvenir... j'avais reçu une ou deux lettres de Nobrovsnik... dans mon nombreux courrier... les lettres d'une femme, une femme qui était professeur de lettres dans votre village... attendez que je me souvienne de son nom...

ERIK LARSEN. Une femme... professeur de lettres... une belle femme ?

ABEL ZNORKO. Oui, très belle femme ! *(Se reprenant.)* Enfin, je n'en sais rien, par courrier n'est-ce pas... Mais elle écrivait avec l'assurance tranquille de ces femmes à qui les hommes ne refusent rien... comment s'appelle-t-elle... déjà... Hélène...

ERIK LARSEN. Hélène Metternach.

ABEL ZNORKO. C'est cela ! Hélène Metternach ! Vous la connaissez ?

ERIK LARSEN. Naturellement ! Nobrovsnik est si petit.

ABEL ZNORKO. Comment va-t-elle ? Je n'ai plus de nouvelles.

Larsen se lève et dit avec un étonnement manifeste :

ERIK LARSEN. Vous n'allez pas me dire que vous m'avez reçu uniquement pour avoir des nouvelles d'Hélène Metternach ?

ABEL ZNORKO. Non... non, bien sûr... comme il est drôle... allons... mais puisque nous en parlons... vous ne vous êtes jamais entretenu de moi avec elle ?

ERIK LARSEN. Non, jamais. Vraiment jamais. Nous n'avons jamais parlé de vous ou de vos livres.

Znorko a un sourire ravi.

ABEL ZNORKO. C'est vrai, après tout. Pourquoi le ferait-elle ?

ERIK LARSEN. Oui, pourquoi ? *(Un temps.)* Vous dédiez votre livre à H.M., c'est Hélène Metternach ?

Znorko éclate de rire.

ABEL ZNORKO. Quelle drôle d'idée…

ERIK LARSEN. Vous riez trop…

ABEL ZNORKO. Croyez-vous que je dédierais un livre à une admiratrice professeur de lettres au fin fond d'un trou gelé simplement parce qu'elle m'a écrit deux ou trois fois pour me dire qu'elle aimait mes livres ? À ce moment-là, je devrais dédier vingt romans par jour : c'est, en moyenne, ce que je reçois comme lettres.

ERIK LARSEN. Vous expliquez trop… H.M., c'est donc Hélène Metternach ?

ABEL ZNORKO. Écoutez, pour vous tranquilliser, je vais vous dire qui est H.M. C'est Henri Metzger, mon premier éditeur. Je lui dois toute ma carrière. Mais comme il est mort et que j'ai changé de maison, par respect pour mon nouvel éditeur je me suis contenté des initiales.

ERIK LARSEN. Ah bon…

ABEL ZNORKO. Je vous avais prévenu : la vérité déçoit toujours.

Larsen se lève, saisit son manteau et sa besace.

ERIK LARSEN. Eh bien, monsieur Znorko, je ne vais pas plus abuser de votre temps. Je vous remercie mille fois pour cet entretien exclusif. Je vais rentrer le taper et l'envoyer à ma rédaction.

ABEL ZNORKO. Mais quoi ! Nous n'avons pas fini.

ERIK LARSEN. Je vous ai parlé de Nobrovsnik. Vous m'avez gavé de sentences définitives. Tout est pour le mieux.

ABEL ZNORKO. Comment ? Je n'ai rien dit !

ERIK LARSEN. Vous savez, nous ne devons pas nous faire d'illusions. Les pages culturelles me sont comptées dans le journal, et même pour vous, on ne m'accordera pas plus d'une demi-page le mercredi. J'ai un biscuit bien suffisant.

ABEL ZNORKO. Allons… allons… un prix Nobel vous reçoit… un prix Nobel accorde un entretien exclusif à un quotidien régional… Vous expliquerez à votre rédacteur en chef…

ERIK LARSEN. Il est analphabète. *(Il range son magnétophone.)* Non, non, le seul moyen de sortir des pages littéraires serait d'avoir un événement, une nouvelle qui justifie le changement de rubrique.

ABEL ZNORKO. Genre ?

ERIK LARSEN. Que vous avez vécu plusieurs années à Nobrovsnik… Que vous avez connu la femme de votre vie à Nobrovsnik… Que vous avez passé vos heures d'amour avec elle à Nobrovsnik… Là, cela justifierait le papier… mais autrement… vous aurez l'espace que l'on accorde à la littérature, pas plus.

Znorko s'interpose entre lui et la sortie.

ABEL ZNORKO. Eh bien, si vous voulez de la nouvelle… mais je vais vous en donner, moi,

de la nouvelle, et de la forte ! Et de l'exclusive !
Allons, mon garçon, vous n'avez pas fait tous
ces kilomètres pour rien, vous me vexeriez....

Znorko s'anime pour retenir Larsen.

ABEL ZNORKO. Vous voulez une révélation ? Eh
bien, vous allez l'avoir, votre révélation.

ERIK LARSEN *(dur)*. Pourquoi me feriez-vous ce
cadeau ?

ABEL ZNORKO. Ce n'est pas un cadeau, c'est un
échange. Je vous donne une information, vous
me rendez un service.

ERIK LARSEN *(toujours dur)*. Quel service ?

ABEL ZNORKO. Porter une lettre et la remettre
en main propre.

Larsen se rassoit. Un temps.

ERIK LARSEN. Vous allez encore mentir.

ABEL ZNORKO. Je préférerais.

ERIK LARSEN. À quoi reconnaîtrai-je la vérité ?

ABEL ZNORKO. À son indélicatesse. Le mensonge est délicat, artiste, il énonce ce qui devrait être alors que la vérité se limite à ce qui est. Comparez un savant et un escroc : seul l'escroc a le sens de l'idéal.

ERIK LARSEN. Je vous écoute.

ABEL ZNORKO *(lentement)*. Eva Larmor, dans mon livre, est inspirée par un personnage réel, une femme que j'ai aimée. C'est votre compatriote, Hélène Metternach.

Larsen marque ostensiblement sa surprise.

ERIK LARSEN. Non ?

ABEL ZNORKO. Si. Nous nous sommes connus il y a quinze ans. *(Il rit, heureux de retrouver ses souvenirs.)* J'ai rencontré Hélène à un congrès sur « La jeune littérature nordique ». Elle le suivait en étudiante, au troisième rang, ses jambes dépassant dans l'allée. Dès que je l'aperçus, je sentis quelque chose de familier s'échapper d'elle. L'avais-je déjà vue ? Non. Mais à force de la regarder, je finis par trouver l'origine de ce sentiment de familiarité : il venait de sa laideur.

ERIK LARSEN. Pardon ?

ABEL ZNORKO. La figure des gens beaux a une architecture même lorsqu'ils n'expriment rien ; les gens ingrats sont contraints de sourire, de faire briller leurs yeux, d'animer leur bouche pour raviver une face sans consistance. De son visage, on ne retenait que les sentiments, pas les traits. Hélène était condamnée à s'exprimer constamment.

En plus, elle était affublée d'une peau qui me mettait mal à l'aise. Lorsque je la regardais, je frissonnais de gêne, comme si sa chair s'offrait, tactile… J'osais à peine me tourner vers Hélène, j'avais l'impression qu'on me surprenait en train de la presser, de la toucher, de la palper. « Cette pauvre fille a une peau indécente », me disais-je.

La silhouette ne valait pas mieux. Hélène était objectivement bien faite mais je ne sais quoi soulevait le cœur... J'étais submergé par une nausée, quelque chose comme... de la pitié... oui, j'éprouvais une sorte d'attendrissement dégoûté pour cette poitrine trop ferme, trop haute, trop pointue, ces fesses trop rondes, ce mollet trop moulé ; son corps me semblait saillant, obscène ; elle était nue sous ses vêtements ; elle me rendait voyeur.

Je regardais mes collègues en catimini ; j'avais la certitude que nous avions tous remarqué l'étalage de la chair immodeste de cette femme.

Ce malaise ne me quittait plus.

Le soir, au cocktail, nous parlâmes un peu. Un charme. Une voix. Un sourire. Une conversation. Elle semblait complètement inconsciente de l'incongruité de son physique.

À la nuit, je me couchai en pensant à elle : « La pauvre fille, me répétais-je, a toutes les qualités du monde sauf celle de pouvoir rendre un homme amoureux. » Je l'imaginais nue et je me mettais à rire. Je trouvais la nature distraite, injuste. Je me trouvais cruel. Tant pis.

Tous les jours, je l'observais, et tous les soirs

j'attendais le sommeil en pensant à elle. Un matin, j'appris qu'un de mes collègues du séminaire avait des vues sur elle. Je ravalai ma salive : voulait-il se moquer d'elle ?

Je songeai immédiatement à protéger cette femme. Je quittai la table, la rejoignis et l'invitai à dîner. J'étais assez content de moi : au moins, la pauvrette échapperait au narquois mal attentionné.

Le soir même, je m'amusai à me préparer comme pour un rendez-vous galant. Je m'habillai, la cherchai en taxi, je lui fis les honneurs d'une des meilleures tables de la ville, et là, presque sans le décider, j'entrepris de la séduire. L'opération m'amusait : au fond, je faisais une bonne action en offrant à cette femme ce qu'aucun homme, sans doute, ne lui donnerait. J'étouffais de bonté et de sollicitude, je m'enivrais de mon bon cœur…

À minuit, je la raccompagnai. Elle me proposa le dernier verre rituel. J'acceptai, amusé. Si elle s'y mettait aussi, la comédie devenait exhaustive.

Nous buvions, nous parlions. Je la regardais, assise sur son petit lit d'étudiante : j'avais envie de faire l'amour. « Quel dommage qu'elle soit si laide », pensais-je.

Qui tendit la main ?

Une heure après, nous étions tous les deux dans nos bras. Ce fut un éblouissement, une nuit comme un matin... Méfiez-vous des femmes que vous trouvez laides, elles sont irrésistibles...

ERIK LARSEN. Je suis moins compliqué que vous : j'ai trouvé Hélène Metternach splendide dès que je l'ai aperçue.

ABEL ZNORKO. Effet de la chimie de notre amour : depuis moi, tous les hommes la voient avec mes yeux.

ERIK LARSEN *(dubitatif)*. Cela ne me dit pas comment vous l'avez séduite.

ABEL ZNORKO. Je ne l'ai pas séduite, c'est elle qui m'a séduit. La chute d'un homme, aucune femme ne résiste à cela. *(Un temps, l'œil dans ses souvenirs, sincère.)* J'étais désarmé devant elle, j'avais cinq ans, dix ans, vingt ans, j'étais moi à tous mes âges, ce n'est qu'auprès d'elle que j'ai enfin vécu mon enfance et ma jeunesse, à quarante ans. *(Continuant, trop heureux de se raconter :)* Nous avons vécu plusieurs mois sans nous quitter, j'avais loué un petit appartement, non loin de l'université. Ma prétention passait pour de l'humour, je la faisais rire, je crois que j'étais véritablement devenu délicieux, comme dans ses yeux. Je la couvrais de cadeaux, pour la première fois je savais quoi faire de mon argent. Et elle m'aimait tellement qu'elle me faisait m'aimer.

ERIK LARSEN. Pourquoi ne vous êtes-vous pas mariés ?

ABEL ZNORKO *(riant).* Pour un écrivain, le mariage c'est une serpillière au milieu de la bibliothèque. *(Un temps.)* Je préfère une brève folie à une longue sottise.

ERIK LARSEN. Vous ne vous en tirerez pas par un mot. Pourquoi provoquer une rupture ? Étiez-vous allergique au bonheur ?

ABEL ZNORKO. Je tenais à Hélène. Lorsque

nous nous jurions de nous aimer « toujours »,
je voulais que ce « toujours » dure vraiment
toujours. Je sais que les passions les plus
intenses se promettent l'éternité mais que,
généralement, l'éternité passe vite.

ERIK LARSEN. Vous avez eu peur que vos ébats
ne se refroidissent ?

ABEL ZNORKO. Évidemment. Autant promettre
d'avoir toujours la fièvre. Pour que l'amour se
fortifie, j'ai imposé la séparation.

ERIK LARSEN. Je ne comprends toujours pas.

ABEL ZNORKO. Vous ne comprenez pas ? Mais
la vie à deux développait une tension intolé-
rable : demeurer côte à côte dans la même
pièce, dans le même lit, nous rappelait sans
cesse que nous étions séparés. Je ne me suis
jamais senti aussi seul que lorsque je la frôlais
constamment. Nous nous jetions l'un sur
l'autre pour étancher une soif plus grande que
nous, une soif inextinguible, qui virait à la rage,
nous faisions l'amour jour et nuit… l'amour

longuement, furieusement... nous aurions voulu nous couler dans une même chair. Chaque séparation devenait amputation... si nous ne nous touchions pas, je hurlais de hargne, je cognais les murs... si elle partait une seule journée, je m'étiolais... Rapidement, nous n'avons plus quitté l'appartement, nous avons passé cinq mois, je crois, à nous étreindre.

Tout ce qu'il y a de détresse dans l'amour, c'est avec elle que je l'ai découvert. Avez-vous jamais senti la cruauté tapie dans une caresse ? On pense que la caresse nous rapproche ? Elle nous sépare. La caresse agace, exacerbe ; la distance se creuse entre la paume et la peau, il y a une douleur sous chaque caresse, la douleur de ne pas se rejoindre vraiment ; la caresse est un malentendu entre une solitude qui voudrait s'approcher et une solitude qui voudrait être approchée... mais ça ne marche pas... et plus l'on s'excite, plus l'on recule... on croit que l'on caresse un corps, on avive une blessure...

Alors nous nous pressions, lèvres contre lèvres, dents contre dents, mêlant notre salive ; comme deux sauveteurs ou deux noyés, nous

72

respirions souffle à souffle, cœur à cœur, j'essayais de me pousser en elle, elle essayait de s'engloutir en moi, nous voulions user, détruire tout ce qui nous séparait, nous évanouir l'un dans l'autre, faire un, enfin, en une fusion définitive. Mais nous avions beau hurler, gigoter, je demeurais en visite et elle en réception. Je restais moi, elle restait elle. Alors, malgré tant d'impuissance à nous rejoindre, nous tenait encore l'espoir de la jouissance ; nous la sentions monter, irrésistible, cette seconde où nous serions enfin ensemble, où nous allions nous répandre l'un dans l'autre, ou peut-être, enfin…

Un spasme. Un autre spasme. Et de nouveau la solitude…

Pauvre petite jouissance qui resépare les corps, jouissance qui désunit. Désamour. Chacun allait rouler de son côté du lit, rendu au froid, au désert, au silence, à la mort. Nous étions deux. À jamais. Et le souvenir demeurait d'un moment où j'avais cru sortir de moi, une amertume triste et capiteuse, comme un parfum de magnolia qui alourdit un soir d'été… Le plaisir n'est qu'une manière d'échouer dans sa propre solitude.

ERIK LARSEN. Je ne vois pas les choses comme vous.

ABEL ZNORKO *(lancé dans son récit)*. Vous ne voyez rien du tout. Ce n'était plus de l'amour, c'était de l'esclavage. Je n'écrivais plus, je ne pensais qu'à elle, j'avais besoin d'elle.

ERIK LARSEN. Vous l'avez sacrifiée.

ABEL ZNORKO. Pardon?

ERIK LARSEN. Vous avez sacrifié Hélène Metternach à votre œuvre. C'est un assassinat.

ABEL ZNORKO. Pas du tout. Nous avons rendu notre amour plus pur, plus essentiel, plus fort.

ERIK LARSEN. Ah oui? L'amante idéale, pour vous, c'est celle qui n'est pas là?

ABEL ZNORKO *(amusé par l'agressivité de Larsen)*. Calmez-vous. À partir du moment où nous avons cessé de nous jeter l'un sur l'autre, notre liaison a pu s'ouvrir à d'autres dimensions. En nous écrivant, nous parlions littérature, philosophie, art, elle commentait chaque page que j'écrivais, elle ne me ménageait pas, d'ailleurs ; je crois même qu'Hélène fut le seul critique sincère que j'aie jamais rencontré. Et dans mes heures d'abattement, lorsque je me sentais plus vide que l'œil d'un cyclone, elle me redonnait la foi.

ERIK LARSEN. Comme c'est pratique.

ABEL ZNORKO *(de plus en plus amusé)*. Écoutez, monsieur le journaliste, je trouve que vous prenez les choses bien à cœur. Vous vouliez de l'inédit, je vous en donne. Vous devriez vous réjouir au lieu de vous mettre dans cet état. *(Péremptoire.)* Le sexe n'est qu'une chiennerie quand il se mêle à l'amour. Hélène et moi, nous nous devions de passer au-dessus de ces petites secousses. *(Il réfléchit, hésite un instant puis sort une lettre de sa poche.)* Voilà, je voudrais que vous me rendiez un service. Vous allez prendre cette lettre, la donner à Hélène Metternach, et exiger qu'elle la lise devant vos yeux.

ERIK LARSEN. Pourquoi ? Elle n'ouvre plus vos lettres ?

ABEL ZNORKO. Écoutez, rendez-moi ce service sans discuter.

Larsen prend la lettre. Mais il ressasse la conversation précédente.

ERIK LARSEN. Non, je ne comprends pas… vous imposer l'absence, vous obliger au manque…

ABEL ZNORKO *(tranquillement).* L'épée de Tristan.

ERIK LARSEN. Pardon ?

ABEL ZNORKO. L'épée de Tristan. Vous connaissez l'histoire de Tristan et Iseult, c'est aussi une légende d'ici… Les plus grands amants du monde finissent leur séjour terrestre sur un même lit, couchés côte à côte pour l'éternité, avec, entre eux, l'épée de Tristan… Iseult n'a pu rester heureuse que grâce à l'épée qui la sépare de Tristan.

ERIK LARSEN. Vous n'aimez pas l'amour, mais le mal d'amour.

ABEL ZNORKO. Sottise.

ERIK LARSEN. Vous avez besoin d'Hélène pour brûler, vous consumer, vous lamenter... pour mourir, pas pour vivre.

ABEL ZNORKO *(jouant le jeu de Larsen)*. J'ai un féroce appétit de mourir.

ERIK LARSEN. De toute façon, vous ne savez même pas qui elle est.

ABEL ZNORKO *(riant de l'agressivité de Larsen)*. Mais qu'est-ce que cela peut vous faire ?

ERIK LARSEN. Ce n'est pas Hélène que vous aimez, mais l'intensité de votre souffrance, la bizarrerie de votre histoire, les affres d'une séparation contre nature... Vous n'avez pas besoin de la présence d'Hélène, mais de son absence. Pas Hélène telle qu'elle est, mais Hélène telle qu'elle vous manque. Oui, vous avez bien fait de ne pas révéler au public que votre livre venait de votre vie : on aurait découvert qu'Abel Znorko, le grand Abel Znorko, n'était qu'un simple adolescent boutonneux qui se languit en attendant le facteur depuis quinze ans !

Znorko est très décontenancé par Larsen, autant par ce qu'il dit que par le ton sur lequel il le dit, mais il a décidé d'en rire.

ABEL ZNORKO. Calmez-vous. Cette scène est totalement hors de propos.

ERIK LARSEN. Vous n'auriez jamais dû quitter cette femme. Vous l'avez détruite en l'éloignant.

ABEL ZNORKO. Vous avez vraiment les semelles enfoncées dans la boue ! Tout a été fort entre nous, la caresse comme la séparation. Je n'ai rien sacrifié, nous étions d'accord. Sinon, d'après vous, pourquoi aurait-elle accepté ?

ERIK LARSEN. J'imagine que, comme tous les

passionnés, elle avait une prédisposition intime pour le malheur. *(Un temps.)* Et puis… elle vous aimait. Elle a accepté pour vous, rien que pour vous.

ABEL ZNORKO. Allons !

ERIK LARSEN. Vous étiez deux à penser au grand Abel Znorko, elle et vous.

Znorko éclate de rire.

ABEL ZNORKO. Mais dites-moi, sa cause vous anime décidément beaucoup… *(Amusé.)* Vous prenez facilement feu pour défendre votre concitoyenne… Vous connaissez bien Hélène Metternach ?

ERIK LARSEN. Très bien. *(Un temps.)* C'est ma femme.

Znorko demeure abasourdi.

ABEL ZNORKO. Pardon ?

ERIK LARSEN. Hélène Metternach est devenue Hélène Larsen… Larsen, vous savez, ce nom qui à lui seul comble les vides de la création…

Chancelant, Znorko s'assoit. Larsen le regarde, très amusé et peu surpris.

ERIK LARSEN. Vous boirez bien quelque chose? *(Ironique, il cite Znorko plus haut.)* Un godet. Un petit godet. *(Chantonnant.)* Rien de tel qu'un petit godet glacé pour déglutir la glotte.

Il lui impose un verre dans les mains.
Znorko a un sursaut et se ravise.

ABEL ZNORKO. Vous mentez! Vous venez d'inventer ce mariage pour me mettre hors de moi! Prouvez-le, prouvez que vous êtes bien son mari…

Calmement, Larsen sort de son portefeuille une photographie.

ERIK LARSEN. Voulez-vous la photographie de notre mariage?

*En la regardant, Znorko a un haut-le-cœur.
Il est d'abord ému.*

ABEL ZNORKO. Je... je... je ne l'avais plus
jamais vue depuis que nous nous étions séparés... *(irrésistiblement)* comme elle est jolie...

*Puis, volontairement, il transforme son émo-
tion en giclée de mépris hilare.*

ABEL ZNORKO. Quel grotesque... C'est vous,
là, déguisé en garçon d'honneur?... et votre
cravate, c'est une greffe? Il faut payer pour
mettre ces choses ou bien c'est vous qu'on
paie? Et qu'est-ce que c'est, cette soucoupe
volante au-dessus de la tête d'Hélène? Un cha-
peau... Non, c'est une farce! Ce sont les pho-
tos d'un bal costumé, une soirée de réveillon
où vous avez voulu jouer aux plus crétins? *(Se
rassurant.)* Vous vous moquez! Je ne doute pas
que vous connaissiez Hélène mais Hélène vit
seule depuis quinze ans! Hélène m'écrit tous
les jours depuis quinze ans, Hélène n'est pas
mariée. *(Il lui rend la photographie.)* Très amusant, le coup de la photographie.

81

Larsen tire alors un autre papier de son portefeuille.

ERIK LARSEN. Peut-être cet acte d'état civil vous convaincra-t-il plus ? Le 7 avril, il y a douze ans.

ABEL ZNORKO. Douze ans…

Znorko regarde puis repousse le papier. Il est profondément désarçonné. Il finit par demander du bout des lèvres :

ABEL ZNORKO. Et vous avez des… enfants ?

Il redoute la réponse. Larsen le regarde et lui dit, sincèrement, douloureusement :

ERIK LARSEN. Non.

Znorko soupire, soulagé que cette cruauté lui soit épargnée. Puis il saisit brusquement son livre et feuillette rageusement.

ERIK LARSEN. Qu'est-ce que vous faites ?

ABEL ZNORKO. Je veux savoir ce qu'elle m'a écrit le 7 avril il y a douze ans, ce qu'elle a pu me raconter le jour de son mariage ! *(Il trouve la page.)* Pas de lettre.

Larsen sourit. Znorko n'abandonne pas.

ABEL ZNORKO. Et le lendemain ? *(Lisant.)* « Huit avril. Mon amour, j'ai contemplé l'aube en pensant à toi. Je me disais que nous regardions peut-être ensemble le même soleil, sur la même terre, au même instant du temps et cependant je n'arrivais pas à être heureuse… » *(Avec un humour désabusé.)* Voilà le chant d'une jeune mariée. Ce n'est bon ni pour vous ni pour moi.

Larsen hausse les épaules. Znorko, épuisé, pose le livre.

ABEL ZNORKO. Et moi, qu'est-ce que je faisais ce jour-là ? Comment ai-je pu ne rien sentir ? J'étais malade, peut-être… *(Il réfléchit.)* Alors vous le saviez, vous saviez déjà tout en entrant ici ?

ERIK LARSEN. Naturellement. Pourquoi croyez-vous que j'aie demandé à vous rencontrer?

ABEL ZNORKO *(hagard)*. Pourquoi ne me l'a-t-elle jamais écrit?

Larsen fixe Znorko et fait, pour eux deux, les questions et les réponses, comme s'il lisait dans les pensées de l'écrivain et participait à son trouble intérieur.

ERIK LARSEN. Que savez-vous d'elle, finalement? Vous vous êtes contenté de vous frotter contre elle pendant cinq mois puis vous l'avez renvoyée. Vous n'avez jamais commencé à faire un couple, vous avez fui avant!

ABEL ZNORKO *(mauvais)*. Plaignez-vous. Sinon, vous n'auriez même pas eu mes restes.

ERIK LARSEN. Tomber amoureux, c'est à la portée de n'importe qui, mais aimer...

ABEL ZNORKO *(retrouvant de l'énergie)*. Oh, je vous en prie... ne comparez pas votre cohabitation précaire avec une liaison de quinze ans ; Hélène et moi, nous pensons continuellement l'un à l'autre... nous nous écrivons tous les jours... nous nous racontons tout...

ERIK LARSEN *(ironique).* Tout ? *(Znorko se tait, touché.)* Que savez-vous d'Hélène ? Dans votre correspondance, elle s'est faite telle que vous la vouliez. Fidèle, attentive, effacée, dans l'attente, enchaînée à votre génie. Allons, allons, monsieur le ministre du mensonge, vous ne supportez donc que les vôtres ?

ABEL ZNORKO. Elle aurait dû me dire... elle aurait pu me dire son mariage avec vous...

ERIK LARSEN. Peut-être voulait-elle vous épargner ? Ne pas vous apprendre que la vie pouvait continuer sans vous. Ne pas vous signaler que vous êtes remplaçable. Épargner votre orgueil, c'est-à-dire les neuf dixièmes de votre être. Il faut l'admettre : il y a une vie après Abel Znorko. *(Un temps. Il insiste avec une certaine cruauté.)* Cela ne vous surprenait pas, ce veuvage complet après cette séparation. Vous n'avez jamais douté de son célibat ?

ABEL ZNORKO. Non. Notre passion était foudroyante... de nature à ne laisser que des cendres...

ERIK LARSEN. Vos cendres à vous, elles se sont beaucoup agitées, tout de même.

ABEL ZNORKO. Pardon ?

ERIK LARSEN. Je pense à toutes ces dames que l'on vous livre pour vos nuits...

ABEL ZNORKO. Ne confondez pas tout. Aucune de ces grues rosâtres et trémulantes qui viennent me visiter une nuit n'a remplacé Hélène. Je les aime pour ce qu'elles sont et je les quitte pour ce qu'elles ne sont pas. Simple besoin d'hygiène... Je suis un homme. J'ai besoin de satisfaire un certain nombre de pulsions.

ERIK LARSEN. Parce qu'une femme n'a pas de pulsions ?

Znorko se retourne méchamment vers lui.

ABEL ZNORKO. Vous voulez me faire croire qu'elle vous a choisi, vous, comme étalon? Qu'elle a épousé son cinq à sept? Vous? Vous m'avez l'air aussi sexy qu'un poireau cuit!

ERIK LARSEN. Ah bon, vous vous y connaissez en hommes?

ABEL ZNORKO. Je sais reconnaître l'homme à femmes, je le repère à sa narine : c'est une narine de renifleur, une narine qui a besoin de s'approcher pour sentir, une narine baladeuse, une narine qui se glisse dans les plis, sous les bras, sous les coudes, sous... Vous, vous avez la narine respectueuse.

ERIK LARSEN. Ah!

ABEL ZNORKO *(insistant)*. Hélène est la femme la plus sensuelle que j'aie connue. Je me demande comment vous arrivez à la combler...

Variations énigmatiques

ERIK LARSEN *(sincère)*. Hélène n'est pas portée sur ces choses. Nous faisons rarement l'amour.

ABEL ZNORKO. Vous voyez !

ERIK LARSEN. C'est elle qui l'exige. Elle m'assure qu'elle n'en a pas besoin.

ABEL ZNORKO. Manière élégante de vous expliquer que, dans un lit, vous êtes surtout bon à dormir.

Larsen éclate calmement de rire. Les vitupérations de Znorko ne le touchent pas. On comprend qu'il était très préparé à cet affrontement.

ERIK LARSEN. Je commence à saisir ce qui sonne faux chez vous.

ABEL ZNORKO. Ah oui ?

ERIK LARSEN. La grossièreté.

Znorko se laisse tomber dans son siège. Au fond, il reconnaît que Larsen a raison et change de ton, las.

ABEL ZNORKO. Partez. Cette situation nous abîme tous. Si j'ai choisi de vivre dans cette île, c'est pour échapper à ce genre de trivialités.

ERIK LARSEN. Je n'ai pas du tout envie de partir.

ABEL ZNORKO. Le mari, la femme, l'amant trompé, tout cela poisse de vulgarité. J'imagine que vous avez un revolver dans votre poche.

ERIK LARSEN. Pas du tout.

ABEL ZNORKO *(avec un soupir)*. Dommage.

ERIK LARSEN. « Hélène, la femme la plus sensuelle »… Mais croyez-vous vraiment que nous connaissons la même femme ? Il y a deux Hélène : la vôtre et la mienne. Pourquoi Hélène serait-elle monotone comme un bloc de pierre ? Et si elle nous a choisis tous les deux, si différents, c'est qu'elle voulait être différente avec chacun de nous. Avec vous, la passion ; avec moi, l'amour.

Variations énigmatiques

ABEL ZNORKO *(sarcastique).* Mon pauvre garçon : l'amour ! Depuis combien de temps êtes-vous mariés déjà ?

ERIK LARSEN. Douze ans.

ABEL ZNORKO. Douze ans ? Ce n'est plus de l'amour, c'est de la paresse. *(Se rassurant.)* Vous vous croyez fort d'une sorte de proximité animale, celle des vaches à l'étable, mais le quotidien n'abat pas les cloisons de la distance, au contraire, il édifie des murailles invisibles, des murailles de verre, qui montent, qui s'épaississent au fil des années, formant une prison où l'on s'aperçoit toujours mais où l'on ne se rejoint plus jamais. Le quotidien ! La transparence du quotidien ! Mais cette transparence-là est opaque. Ah, bel amour que celui qui s'endort dans l'habitude, bel amour qui admet l'usure, l'écœurement, oui, bel amour fait de fatigues, de chaussettes qui puent, de doigts dans le nez et de pets foireux sous les draps.

ERIK LARSEN. C'est lorsqu'on n'aime pas la vie qu'on se réfugie dans le sublime.

ABEL ZNORKO. Et c'est lorsqu'on n'aime pas le sublime qu'on s'embourbe dans la vie.

ERIK LARSEN. Notre histoire à nous est réelle, nous sommes proches, nous nous parlons, nous nous touchons tous les jours. J'aperçois sa nuque au réveil. Nous avons pris le risque de nous satisfaire ou de nous décevoir. Vous, vous n'avez jamais eu le courage de faire un couple.

ABEL ZNORKO. La faiblesse, oui !

ERIK LARSEN. Le courage ! Le courage de s'engager, de faire confiance. Le courage de n'être plus un homme rêvé mais un homme réel. Savez-vous ce que c'est, l'intimité ? Rien d'autre que le sentiment de ses limites. Il faut faire le deuil de sa puissance, et il faut montrer ce petit homme-là sans baisser les yeux. Vous, vous avez évité l'intimité pour ne jamais vous cogner à vos limites.

ABEL ZNORKO. Épargnez-moi votre philosophie, elle sent l'armoire à linge.

ERIK LARSEN. Vous êtes de ceux qui aimez sans apprendre.

ABEL ZNORKO. Il n'y a rien à apprendre dans l'amour.

ERIK LARSEN. Si. L'autre…

Znorko s'approche de Larsen. Son regard est incendiaire. Il vient de comprendre l'essentiel.

ABEL ZNORKO. C'est à cause de vous qu'elle ne m'écrit plus! Vous avez lu le livre, vous avez découvert notre liaison, vous lui avez fait une scène, vous lui avez interdit de continuer.

ERIK LARSEN *(ambigu)*. Croyez ce qui vous fait plaisir.

ABEL ZNORKO. Oui, oui, vous l'avez menacée, vous étiez fou de jalousie, vous l'avez fait pleurer. Je la connais, elle déteste la violence. Elle a craint de vous faire mal, elle a renoncé! Mais, même si elle a accepté de ne plus m'écrire, elle aura voulu me prévenir, m'expliquer… Ces lettres-là, les dernières, vous les avez interceptées, n'est-ce pas ? Vous avez préféré que je me vide de mon sang pendant plusieurs mois. C'est cela ?

ERIK LARSEN. C'est cela : vous ne recevez plus ses lettres parce que je ne veux plus de cette correspondance.

ABEL ZNORKO. Et mes lettres, hein, et les lettres que j'envoie à Hélène depuis quatre mois ? Où sont-elles ? Les a-t-elle reçues au moins ?

Larsen sort une liasse.

ERIK LARSEN. Les voici.

Znorko se précipite dessus.

ABEL ZNORKO. Elles ne sont même pas ouvertes.

ERIK LARSEN. Vous préfériez que je les lise ?

Znorko est ivre de rage. Il tourne dans la pièce en tempêtant.

ABEL ZNORKO. Mais qu'est-ce que cela peut vous faire, espèce de diminué du bulbe! Nous pouvions continuer à vivre ensemble par correspondance si vous n'étiez pas intervenu!

ERIK LARSEN. Il ne fallait pas publier ce livre! Sans la prévenir, vous avez révélé au monde entier quinze ans d'intimité. Mettre un autre nom ne changeait rien, vous avez tout vulgarisé. C'est obscène. Et tout cela pour quoi? Pour faire un livre? Pour toucher de l'argent? C'est ça?

Znorko se laisse tomber dans un fauteuil, la tête entre les mains.

ABEL ZNORKO. Je… j'ai mes raisons.

ERIK LARSEN. Ah oui?

ABEL ZNORKO. Oui. Ces raisons ne regardent que moi… et Hélène… Elles se trouvent dans ma dernière lettre… celle que vous devez lui porter.

ERIK LARSEN *(tendant la main)*. Donnez-la-moi.

Znorko hésite puis la sort de sa poche. Larsen la saisit. Il la regarde; on sent qu'il a envie de l'ouvrir. Znorko l'arrête.

ABEL ZNORKO. Elle ne vous est pas destinée.

Larsen range l'enveloppe dans sa poche. Znorko revient, obsessionnel, sur le passé.

ABEL ZNORKO. Elle me racontait ses journées et vous n'étiez pas dedans…

ERIK LARSEN. Elle vous disait la vérité : elle vous racontait la journée qu'elle passait avec vous, pas avec moi. À moi, elle ne racontait pas la journée qu'elle passait avec vous. Elle avait deux vérités, c'est tout : la vérité avec vous, la vérité avec moi.

ABEL ZNORKO. Deux mensonges, oui, plutôt.

ERIK LARSEN. Qui vous fait croire qu'Hélène

95

est une ? Sommes-nous une seule et même personne ? Hélène est une amante passionnée avec vous — et c'est vrai —, elle est ma femme au jour le jour — et c'est vrai aussi. Aucun de nous n'a connu les deux Hélène. Aucun de nous ne peut combler les deux.

ABEL ZNORKO *(mauvais)*. Eh bien, dites-moi, le mari, on dirait que vous le prenez bien !

ERIK LARSEN. Je n'ai jamais pensé que je pouvais résumer tous les hommes aux yeux d'Hélène.

Znorko hausse les épaules. Il ne décolère pas. Larsen s'approche de l'appareil à musique.

ERIK LARSEN. Vous écoutiez les *Variations énigmatiques* lorsque je suis arrivé ?

ABEL ZNORKO. Vous voulez aussi savoir ce que j'ai mangé ?

ERIK LARSEN. C'est elle qui vous les a offertes ?

ABEL ZNORKO. Écoutez, foutez-moi la paix !

Cocu et complaisant, vous êtes déjà bien lardé, vous feriez mieux de vous taire.

ERIK LARSEN *(insistant).* C'est… elle qui vous les a fait connaître ? Je suis sûr que c'est elle.

ABEL ZNORKO. Oui. *(Se souvenant.)* Le premier jour où nous nous sommes dit des paroles d'amour, elle m'a tendu ce disque, les *Variations énigmatiques* d'Elgar, elle m'a souri tendrement et m'a dit : « Nous nous adressons des mots d'amour, mais qui sommes-nous ? À qui dis-tu : je t'aime ? »

ERIK LARSEN *(continuant).* « … À qui le dis-je aussi ? On ne sait pas qui on aime. On ne le saura jamais. Je t'offre cette musique pour que tu y réfléchisses. »

Znorko le regarde avec étonnement.

ABEL ZNORKO. Comment savez-vous cela ? Je l'ai retranché de mon livre.

ERIK LARSEN. Elle me l'a dit aussi le premier

soir où nous avons échangé des paroles d'amour.

ABEL ZNORKO *(désappointé)*. Ah !

ERIK LARSEN. C'est peut-être la seule chose d'elle que nous avons eue en commun tous les deux.

ABEL ZNORKO *(avec aigreur)*. Excusez-moi, mais je n'ai pas eu le temps, comme vous, de m'habituer à cette idée... Je ne barbote pas à l'aise dans le partage.

Larsen s'approche du piano et se met à jouer le début des Variations énigmatiques.

ERIK LARSEN. Les *Variations énigmatiques*, des variations sur une mélodie que l'on n'entend pas... Édouard Elgar, le compositeur, prétend qu'il s'agit d'un air très connu mais jamais personne ne l'a identifié. Une mélodie cachée, que l'on devine, qui s'esquisse et disparaît, une mélodie que l'on est forcé de rêver, énigmatique, insaisissable, aussi lointaine que le sourire d'Hélène. *(Un temps.)* Les femmes, ce sont ces mélodies qu'on rêve et que l'on n'entend pas. Qui aime-t-on quand on aime ? On ne le sait jamais.

ABEL ZNORKO *(fermé)*. Jamais… *(Lorsque Larsen finit le morceau, il demande subitement :)* Combien y a-t-il de variations ?

ERIK LARSEN. Quatorze variations. Quatorze façons d'appréhender une mélodie absente.

ABEL ZNORKO. Et vous croyez que nous sommes… quatorze ?

Larsen le regarde, interloqué. Znorko, devant sa tête, éclate de rire.

ABEL ZNORKO. Je plaisantais. *(Il est à bout de nerfs.)* Écoutez, je crois que nous nous sommes tout dit. J'ai appris qu'Hélène était mariée, ce qu'elle me cache depuis douze ans, bien ! Maintenant je connais même son mari, un homme très décoratif, un apôtre de la communauté, un partouzeur des bons sentiments, bien ! Je sais aussi pourquoi elle ne m'écrit plus, bien ! J'estime que le vaudeville pourrait en rester là. Je crois que… que ces péripéties ne m'amusent plus du tout, merci. *(Il saisit son dernier livre et le regarde avec agacement.)* Au fond, j'avais beaucoup plus raison que je ne croyais, tout à l'heure, quand je vous disais que mon livre était une fiction : cette femme sort de ma tête, elle… elle n'a jamais existé. *(Il jette le livre dans la cheminée.)* C'est le roman le plus imaginatif que j'aie jamais écrit et je ne le savais même pas.

ERIK LARSEN. Ne regrettez rien.

ABEL ZNORKO *(avec souffrance)*. Douze ans de mensonges quotidiens ! C'était elle, l'écrivain ! Quelle invention ! Elle prétendait que toutes ses pensées m'étaient dédiées alors qu'elle déjeunait avec vous, qu'elle dînait avec vous, qu'elle dormait dans les mêmes draps que vous ! *(La colère monte.)* Et elle jouait les vigiles de la sincérité auprès de moi, elle se montrait dure, exigeante, sévère, ne m'épargnait aucune critique et je l'écoutais comme un enfant sa mère. Quel con! *(Hors de lui.)* J'ai fui le monde pour échapper à la vulgarité triomphante, je me suis limité à cette femme, je recueillais la moindre de ses paroles avec un zèle religieux et j'apprends qu'elle m'a tranquillement dupé. Mais qu'y a-t-il dans son cœur de garce? Quelle bouillie immonde lui tient lieu de conscience? Rentrez chez vous et dites-lui que je ne veux plus entendre parler d'elle, que je reprends le temps, le soin, les soucis dont je l'ai honorée, que je retire toutes les pensées que j'ai formées pour elle, tous les sentiments que je lui adressais, que j'enlève tout et qu'il n'y a qu'une chose que je ne désapprouve pas, c'est d'avoir publié notre correspondance car, au fond, comme toutes les grandes salopes, elle est assez bon écrivain.

ERIK LARSEN. Je ne lui dirai pas.

ABEL ZNORKO. Vous lui direz! Et ce livre, je le renie! Je lui donne tous les droits d'auteur! Il n'est plus de moi! Il n'est que d'elle! Rassurez-la, dites-lui que sa petite supercherie, outre l'amusement qu'elle a dû lui donner pendant douze ans, lui rapportera des millions! Vous lui direz que je ne veux plus rien partager avec elle, que je l'emmerde et que je la pulvérise.

ERIK LARSEN. Je ne lui dirai pas.

ABEL ZNORKO. Mais si! Vous lui direz, en bon petit mari que vous êtes, en petit chien qui accepte tout! Quand vous allez rentrer, elle va vous sauter dessus, impatiente, elle s'amuse déjà beaucoup à l'idée de notre rencontre. Transmettez-lui mon plus mauvais souvenir, dites-lui qu'elle est une raclure de mouche, que je n'aurai une seconde de paix que le jour, proche j'espère, où je l'aurai totalement oubliée, que pour moi elle est désormais finie, éteinte et rendue au néant des médiocres.

ERIK LARSEN *(hors de lui)*. Arrêtez! Je ne lui dirai pas!

ABEL ZNORKO. Et pourquoi?

ERIK LARSEN. Parce qu'elle est morte!

Variations énigmatiques

Les mots de Larsen résonnent encore dans le silence. C'est comme si Znorko venait de recevoir un coup de poignard. Il chancelle.

Larsen, sans le regarder, reprend doucement.

ERIK LARSEN. Hélène est morte. L'agonie a duré trois mois. Trois mois, c'est long pour mourir, c'est court pour vivre.

Abel Znorko entend avec douleur les paroles de Larsen qui s'assoit derrière lui et raconte :

ERIK LARSEN. Quand les médecins eurent fait leur diagnostic, elle a eu un mouvement de révolte. Elle s'est mise en colère, elle était décidée à se battre. Mais la colère n'était que l'écume de son caractère : le lendemain, elle avait consenti. Elle ne s'est pas levée, elle est restée allongée dans le lit, elle me regardait comme une enfant punie. « Je ne veux pas aller à l'hôpital. Je veux qu'on me soigne ici. » Quand elle disait « soigner », c'était un autre mot qu'elle pensait, mais trop dur pour ses lèvres, un mot qu'elle ne prononcerait pas.

Les médecins ont accepté, je suis devenu à

103

moi tout seul un hôpital et ses aides-soignants. Je ne vivais plus que dans le souci d'Hélène, lui donner ses médicaments, la faire manger, m'assurer qu'elle dormait, lui raconter des histoires, tenter de la faire rire ; je savais que tout cela ne servait à rien, que c'était lutter contre l'inéluctable, mais c'était seulement comme cela, désormais, que je pouvais encore lui montrer que je l'aimais. Elle recevait cette attention inquiète avec naturel, elle semblait à peine s'en rendre compte.

Je vais vous dire ce qu'il y a de plus terrible dans une agonie, monsieur Znorko, c'est qu'on perd l'être qu'on aime bien avant qu'il ne meure. On le voit se rapetisser dans les draps, s'alourdir d'un poids d'angoisses tues, se replier dans un secret inaccessible, on voit ses yeux errer dans des mondes dont il ne dit plus rien. Hélène était toujours là et cependant Hélène était ailleurs. La douleur pour moi, monsieur Znorko, c'est que, parfois, tous mes soins, cette forme désespérée d'amour, ne semblaient plus toucher que de l'indifférence.

Les derniers jours, elle ne parlait même plus. Elle était devenue si légère qu'on n'avait pas l'impression qu'elle était couchée mais qu'elle était seulement posée à la surface du lit, sans peser, comme un oiseau, un pauvre oiseau sans ailes. Je mettais deux heures à la nourrir d'une pomme. J'en venais à souhaiter qu'elle meure pour de bon et j'avais honte de mes pensées. Elle était entre la vie et la mort, et moi entre l'amour et la haine. L'agonie déforme tout et tout le monde, monsieur Znorko.

Elle est morte le jour du printemps. Les neiges fondaient depuis deux semaines, chargeant les routes de boue ; notre rivière débordait, la circulation stagnait à Nobrovsnik, et puis, ce matin-là, dans une aube qui, pour la première fois, montrait la steppe verte, jaunissante, les brins d'herbe qui appelaient le soleil, elle s'est endormie définitivement.

Ce matin-là, il y avait des alouettes dans le ciel.

C'est Znorko qui prend Larsen contre lui, chaleureusement.

ABEL ZNORKO. Merci. Merci d'avoir été là. Auprès d'elle.

Erik Larsen hausse les épaules. Pour lui, cela va de soi.

ABEL ZNORKO *(douloureux).* J'ai honte... je... je n'ai jamais rien fait pour elle.

ERIK LARSEN. Vous vous trompez.

ABEL ZNORKO. Pendant ce temps-là, je ne pensais qu'à moi, je tempêtais contre elle peut-être, je songeais à mon livre... inutile...

ERIK LARSEN *(doucement).* Non. Votre absence lui faisait du bien. Pour vous, pendant ces trois mois d'agonie, elle était toujours Hélène, attentive, intelligente, belle, ronde et ferme. Pour vous, elle existait toujours telle que vous la désiriez, telle qu'elle se désirait. Pour vous, grâce à la distance, elle demeurait vivante, intacte, enfermée dans votre songe et le sien, un rêve d'elle-même inentamé qui lui permettait de nier la dégradation chaque jour plus affolante. En ignorant tout, vous l'avez aussi rendue heureuse... Maintenant je sais que, dans ses rêves et son silence, elle partait ici, vers vous...

ABEL ZNORKO. Il fallait m'appeler.

ERIK LARSEN. Le lendemain de l'enterrement, j'ai brûlé le matelas qui portait, en creux, la trace de son corps... j'ai jeté ses vêtements que plus rien ne remplirait jamais... j'ai donné le fauteuil où elle aimait s'asseoir, j'avais l'impression que ce n'était pas un meuble mais un chien qui me demandait d'un regard implorant où était sa maîtresse... Puis au début de l'après-midi, j'ai pris la clé de son secrétaire, et j'ai découvert les lettres, vos lettres et le brouillon des siennes.

ABEL ZNORKO. J'imagine que vous avez souffert encore plus ?

ERIK LARSEN *(hésite puis continue).* J'ai été heureux d'apprendre qu'elle avait éprouvé plus de bonheur que je ne croyais... plus de joies que celles que je lui avais données... j'étais soulagé que la vie n'ait pas été trop avare avec elle.

Znorko est ému par ce que lui dit Larsen.

ERIK LARSEN. Ce qui m'a fait souffrir, ce sont toutes les lettres qu'elle ne vous avait pas envoyées... celles où elle disait ce qu'il fallait vous taire, à quel point vous lui manquiez, celles où elle hurlait d'amour et d'abandon, celles où elle avouait qu'elle ne pourrait plus jamais revivre, celles où je comprenais que vous étiez le seul homme de sa vie... C'étaient des lettres pour elle, pas pour vous, et encore moins pour moi... personne n'était destiné à entendre ce cri...

À ce souvenir, il se prend la tête entre les mains, pour s'isoler. Abel Znorko est déconcerté comme un enfant. Il devient soudain proche de Erik Larsen.

ABEL ZNORKO. Je... je voudrais aller à Nobrovsnik avec vous... lui porter des fleurs...

ERIK LARSEN *(simplement)*. Venez.

ABEL ZNORKO. Je pars avec vous.

Larsen regarde entre eux deux, sur le sofa. Il

porte mystérieusement le doigt à sa bouche, comme s'il fallait ne plus faire de bruit.

ERIK LARSEN *(doucement).* Vous n'entendez pas ? *(Un temps.)* J'ai l'impression qu'elle est là. Entre nous deux. Pour la première fois.

ABEL ZNORKO *(aussi doucement, montrant la place vide).* Là ?

ERIK LARSEN. Là.

Et pendant un instant, les deux hommes communient dans le souvenir d'Hélène.
Puis Znorko, trop troublé, se frotte les yeux, regarde autour de lui, un peu désemparé, se mettant à trembler.

ABEL ZNORKO. Seulement, il va falloir que je fasse une valise…

ERIK LARSEN. Vous n'avez pas besoin de beaucoup d'affaires.

ABEL ZNORKO *(subitement effrayé).* C'est que…

cela fait des années que je n'ai pas quitté l'île...
je... je ne sais pas quoi prendre... que me faut-
il?

ERIK LARSEN *(comprenant)*. Voulez-vous que je
vous aide?

ABEL ZNORKO. Oui, merci, je suis un peu
infirme de ce côté-là...

*Et, subitement, les larmes l'envahissent comme
un enfant.*

ABEL ZNORKO. Hélène...

*Il est secoué de sanglots. Le chagrin lui est
tombé dessus.*

ERIK LARSEN *(déconcerté)*. Je... je n'aurais
jamais cru que vous pleureriez.

ABEL ZNORKO *(ivre de désespoir)*. Je n'ai jamais
pleuré. Hélène, Hélène! Non!

Larsen s'approche, plein de respect pour sa

peine. Il tente de l'apaiser en entourant ses épaules de ses bras. Après quelques secondes, Znorko se dégage gentiment.

ABEL ZNORKO. Excusez-moi, je ne supporte pas le contact d'un homme...

Larsen, respectueusement, retire ses bras. Il va même pour se lever lorsque Znorko le retient.

ABEL ZNORKO. Un jour, Hélène m'avait dit : « Je voudrais me voir mourir. Je voudrais assister à ma mort. Je ne voudrais pas rater cela. » ... C'est finalement ce qui s'est passé...

C'est au tour de Larsen d'être ému.

ABEL ZNORKO. Il y a dix ans, elle avait eu une alerte. Dans sa famille, toutes les femmes mouraient d'un cancer. J'ai eu peur à ce moment-là, je me suis dit qu'il fallait que je sorte de cette île... que nous revivions ensemble... que je rompe ce pacte absurde. Pendant quelques semaines, elle n'avait pas pu m'écrire. Et puis les examens avaient révélé que la tumeur s'était résorbée. Hélène avait gagné.

ERIK LARSEN. Et depuis vous donnez votre argent à la médecine. C'est pour cela ?

ABEL ZNORKO. Je n'ai besoin de rien pour vivre ici. *(Avouant.)* Oui, c'est pour cela, pour elle... *(Un temps.)* Cette alerte nous avait rendus plus proches, plus intimes, comme mûris par la peur que nous avions éprouvée ensemble. Mais nous ne parlions jamais de la mort.

ERIK LARSEN. C'est cela qui lui a fait tant de bien : que vous l'aimiez comme si elle et vous étiez immortels. Il y avait une insouciance d'enfant dans votre amour ; moi, c'est le contraire, j'ai toujours aimé comme un vieillard. *(Abel Znorko sourit gentiment. Larsen se laisse aller.)* J'ai l'amour inquiet. Depuis toujours. Pour moi, quand Hélène trébuchait, elle se cassait ; quand Hélène saignait, elle se vidait ; quand Hélène toussait, elle mourait. Combien de fois s'est-elle moquée de moi, de mes peurs ! Je l'aimais de manière désespérée, comme un être furtif, éphémère, qui devait m'être enlevé. Je ne l'ai jamais aimée dans l'insouciance. *(Un temps.)* J'avais raison.

ABEL ZNORKO *(sincère et simple).* Je suis heureux que vous existiez. Moi, je n'étais pas doué pour être vous. *(Atone.)* Je ne suis qu'une boursouflure, une des pires, de celles qu'on écoute et respecte. Je crois que je ne me suis inventé le culte de la littérature que pour m'épargner la peine de vivre, tant j'avais peur. Sur le papier, j'ai été héroïque et dans la réalité je ne sais même pas si j'ai jamais délivré un lapin de son piège. Moi, la vie, je ne voulais pas la vivre, je voulais l'écrire, la composer, la dominer, là, assis au milieu de mon île, dans le nombril du monde. Je ne voulais pas vivre dans le temps qui m'était donné, trop orgueilleux, et je ne voulais pas vivre non plus dans le temps des autres, non, moi, j'inventais le temps, d'autres temps, je les réglais avec le sablier de mon écriture. Vanité. Le monde tourne, l'herbe pousse, les enfants meurent et je suis prix Nobel ! Je vaticine comme si j'allais changer le cours des choses. Vous, on ne vous aperçoit même pas dans l'épaisseur des obscurs et moi je suis de ces inutiles que l'on consacre. *(Znorko se lève et dit, un peu perdu :)* Qu'est-ce que je dois emmener ?

ERIK LARSEN. Je vais préparer vos affaires.

ABEL ZNORKO. Eh bien… ça me gêne un peu mais… oui, merci. *(Il montre la chambre à côté.)* C'est ici. Prenez les vêtements que vous voulez, je les mettrai.

Larsen a un sourire et passe dans la pièce d'à côté.

ERIK LARSEN *(off)*. Je ne vous savais pas si handicapé du quotidien.

ABEL ZNORKO *(essayant d'être léger)*. Je ne sais pas faire un lit ni plier une serviette.

ERIK LARSEN *(off)*. Mais comment faites-vous la vaisselle ?

ABEL ZNORKO *(souriant faiblement)*. À la salive : je donne des ordres. J'ai une femme de ménage qui vient tous les matins ; elle arrange tout ; elle serait moins laide, je croirais qu'elle est fée.

Larsen revient avec quelques chemises qu'il pose sur le canapé.

ERIK LARSEN. Quelle chemise je prends, la bleue ou la blanche ? *(Znorko ne sait que répondre. Larsen montre alors la bleue.)* Je suis sûr que celle-ci vous met en valeur. Elle rappelle la couleur de vos yeux.

ABEL ZNORKO *(gêné par ce qu'il vient d'entendre)*. Ah…

ERIK LARSEN *(ressortant, off, très naturel)*. Hélène était comme vous : tout le contraire d'une femme d'intérieur. J'étais obligé de m'occuper de tout.

ABEL ZNORKO. Je sais : dans les cinq mois où nous avons vécu ensemble, le linge s'entassait tellement dans l'appartement qu'il fallait prendre une carte et une boussole pour trouver une serviette propre… nous formions un couple de spéléologues… *(Il se met devant la glace et regarde comment lui va la chemise. Il dit pour lui-même.)* Oui, effectivement, elle me va bien.

ERIK LARSEN *(passant la tête)*. Slip ou caleçon ?

ABEL ZNORKO *(choqué par la trivialité de la question).* Ne soyez pas ridicule.

ERIK LARSEN. J'ai besoin de savoir : slip ou caleçon ?

ABEL ZNORKO. Je ne prononce jamais ces mots. Je les trouve… obscènes.

ERIK LARSEN *(surpris).* Slip ? Caleçon ?

ABEL ZNORKO. C'est insupportable, écoutez un peu : « slip », on dirait une culotte qui descend ; et « caleçon », une culotte qui remonte.

ERIK LARSEN *(riant).* Ça ne me dit pas lesquelles je prends…

ABEL ZNORKO *(de mauvaise humeur).* Celles qui remontent.

Larsen revient avec une pile de linge et la pose sur la banquette.

ERIK LARSEN. Voilà, j'ai pris le nécessaire. Huit

paires de chaussettes, deux pantalons, deux pulls et huit machins qui remontent.

ABEL ZNORKO *(gêné).* Oui oui, très bien, merci. *(Il est un peu agacé par la simplicité avec laquelle Larsen range les affaires dans un sac.)* Mais... vous savez, je ne viens que pour un jour ou deux, pas une semaine...

ERIK LARSEN. Oh ! Ce serait dommage de faire le voyage pour si peu de temps. Puis vous verrez, vous serez bien à la maison...

ABEL ZNORKO *(répétant machinalement)...* à la maison...

ERIK LARSEN. Cela me fait vraiment plaisir de vous recevoir. Depuis le temps...

ABEL ZNORKO. ... depuis le temps...

La joie de Larsen inquiète Znorko. Il s'approche, mal à l'aise, en se raclant la gorge.

ABEL ZNORKO. Écoutez... je ne voudrais pas

117

qu'il y ait de malentendu… J'apprécie beaucoup votre attitude avec Hélène… Je vous en suis reconnaissant… mais qu'il soit clair que je viens… pour elle, pas pour vous.

ERIK LARSEN *(un peu tendu)*. Mais j'avais bien compris.

ABEL ZNORKO. Vous concevez bien que, fondamentalement, nous ne serons… jamais amis, vous voyez ce que je veux dire.

ERIK LARSEN. Je vois. *(Très naturel.)* Où sont vos affaires de toilette ?

ABEL ZNORKO *(humilié et agacé)*. Laissez, je vais finir mon sac moi-même.

Il sort. Larsen, resté seul, s'approche de l'appareil à musique. Il relance les Variations énigmatiques.
En rentrant, Znorko arrête la musique.

ABEL ZNORKO. Vous m'excuserez, mais… je

n'ai pas l'habitude de partager cette musique. De rien partager, d'ailleurs.

ERIK LARSEN. Bien sûr. Je voulais vous poser une question : lorsque vous faites l'amour avec une femme, est-ce que vous allumez ou vous éteignez la lumière ?

ABEL ZNORKO. Question dépourvue d'intérêt.

ERIK LARSEN. S'il vous plaît…

ABEL ZNORKO. J'éteins.

ERIK LARSEN *(avec un sourire)*. J'en étais sûr. Une question encore, rien qu'une seule. *(Znorko acquiesce, contraint.)* Avez-vous couché avec votre meilleure amie ?

ABEL ZNORKO. Vous devenez fou.

ERIK LARSEN. Je suis sérieux. Avez-vous couché avec votre meilleure amie ?

ABEL ZNORKO. Je n'ai pas d'amis.

119

ERIK LARSEN. Je vous demande une réponse.

ABEL ZNORKO. Où voulez-vous en venir ?

ERIK LARSEN. Votre réponse ?

ABEL ZNORKO. Ce serait non.

ERIK LARSEN. Hélène était ma meilleure amie. Ce fut par cette porte qu'elle est entrée dans ma vie : le sourire, les discussions, les confidences, et l'habitude, très vite. Je lui racontais mes déboires sentimentaux, elle s'en amusait, me conseillait… Nous vivions presque l'un chez l'autre. Et puis un jour nous nous sommes rendu compte que nous étions aussi un homme et une femme. J'ai fait l'amour avec ma meilleure amie, c'est très différent, cela se pratique en pleine lumière, le plaisir a enfin un visage.

ABEL ZNORKO *(agacé)*. Idiot. On va beaucoup plus loin dans le sexe lorsqu'on ferme les yeux.

ERIK LARSEN. Idiot. On va beaucoup plus loin

dans l'amour les yeux ouverts. J'ai ma petite théorie là-dessus. Avec Hélène, nous...

ABEL ZNORKO *(fermé).* Ça ne m'intéresse pas. *(Soudain assailli par une réminiscence.)* Erik... « l'ami Erik »... C'est vous le Erik dont elle m'a parlé il y a longtemps...

ERIK LARSEN. Et dont elle a cessé de vous parler il y a douze ans, lorsque nous nous sommes mariés...

ABEL ZNORKO. Mais vous n'étiez pas journaliste !

ERIK LARSEN. Professeur de musique. Et je le suis toujours. *La Gazette de Nobrovsnik* n'existe pas. Je l'ai inventée pour arriver à vous. Je vous ai d'ailleurs trouvé naïf, sur ce coup-là. Ou impatient.

Les deux hommes se regardent. Ils taisent ce qui leur tient à cœur. Znorko, rangeant son sac, brise le silence.

ABEL ZNORKO. Allons-y. Le bac va bientôt repasser. *(Il regarde le crépuscule mauve et vio-*

let sur la baie.) Quel dommage de partir ! C'est aujourd'hui que le jour passe à la nuit. Le premier crépuscule depuis six mois. Et le dernier avant un an. Il fallait que vous veniez à ce moment… *(Il demande, de façon anodine.)* Quand est-elle morte, exactement ?

Larsen, qui semble avoir entendu, ne répond pourtant pas.

ABEL ZNORKO. Je vous demande quel jour est morte Hélène.

ERIK LARSEN. Un mardi. Le mardi 21 mars.

ABEL ZNORKO *(se rappelant)*. C'est vrai, vous m'aviez dit que c'était le printemps, oui.

ERIK LARSEN *(lentement)*. Le jour du printemps… il y a dix ans.

Znorko n'entend pas tout de suite puis s'arrête, abasourdi, fixant Larsen.

ERIK LARSEN. Je n'ai vécu avec Hélène que deux

ans. Le lendemain de l'enterrement, lorsque j'ai voulu ranger, j'ai découvert les lettres, vos lettres... J'ai découvert celles qu'elle avait voulu vous écrire dans les premiers jours de sa maladie et qu'elle ne vous avait pas envoyées. J'ai découvert votre amour, ce qu'il avait été, ce qu'il était devenu... Elle me manquait terriblement... Alors, le soir, je... j'ai pris la plume et je vous ai écrit. J'ai toujours su imiter les écritures, particulièrement la sienne, cela la mettait en rogne, d'ailleurs.

ABEL ZNORKO *(d'une voix blanche)*. Alors c'est vous ?

ERIK LARSEN. Depuis dix ans. Plusieurs fois par semaine. Presque tous les jours.

Et Znorko se laisse tomber sur le canapé, hagard.

ERIK LARSEN. J'imagine que je n'ai pas d'excuses à vos yeux...

Znorko ne répond pas. Larsen le regarde tristement.

123

ERIK LARSEN. Je ne voulais pas qu'elle meure. Elle vivait toujours quand je recevais vos lettres. Elle était heureuse de les lire, tellement heureuse. Et vous aussi, vous étiez heureux qu'elle vous réponde. Et moi, heureux, entre vous deux... Vous aviez raison, tout à l'heure : nous avons besoin du mensonge. On doit la vie aux morts.

Long silence entre eux.
Znorko saisit brusquement le livre. Il l'ouvre et lit.

ABEL ZNORKO. « J'embrasse tes lèvres, celle du dessous, qui est la plus sensible, celle qui gonfle pendant l'amour... » C'est vous qui l'avez écrit ?

ERIK LARSEN. Arrêtez, c'est gênant !

ABEL ZNORKO. C'est vous qui l'avez écrit ?

ERIK LARSEN. Je... j'ai recherché dans les lettres précédentes... je... je me suis documenté...

ABEL ZNORKO. Et... « je te caresse le haut de la

124

cuisse, à l'intérieur, là où il fait toujours chaud, là d'où les frissons partent, pour transir tout ton corps »…

ERIK LARSEN *(mal à l'aise, faussement naïf)*. Moi ça me fait ça, vous aussi ?

Znorko se dresse, menaçant. Larsen a quelque chose de pitoyable, comme s'il était cassé. Znorko brandit sa carabine et s'approche de Larsen.

ABEL ZNORKO. Allez, filez… filez… Et tâchez de courir, de courir vite… Cette fois-ci, je ne viserai pas le portail.

Larsen le regarde sans trembler.

ERIK LARSEN. Je m'en moque. Pourquoi avez-vous publié votre correspondance ?

Il fixe Znorko. Aucun des deux hommes ne bouge. Et soudain, Larsen attrape la carabine, l'arrache. Il la garde à son côté.

ERIK LARSEN. Je suis venu vous poser une seule question, je savais ce que je faisais en venant :

pourquoi avez-vous publié vos lettres avec Hélène ? Pourquoi ?

ABEL ZNORKO. Cela ne vous regarde pas.

ERIK LARSEN. Cela me regarde. Depuis dix ans, je sais tout de vous et j'ai fait vivre Hélène. Vous, en publiant ce livre, vous l'avez tuée. Vous l'avez tuée ! Si le livre n'était pas paru, j'aurais pu continuer à vous écrire jusqu'à ma mort.

Larsen lui tend brusquement le fusil et lui met de force dans les mains. Znorko est de nouveau en position de dominer mais ne comprend plus la situation.

ERIK LARSEN. Ma mort m'est totalement indifférente. Mais avant de me supprimer, vous devez me dire pourquoi.

Znorko ne répond pas. Larsen lui dit, presque envoûtant :

ERIK LARSEN. Abel Znorko, je suis Hélène.

Depuis dix ans, nous nous aimons à travers elle, nous nous disons tout en elle. Vous avez tué Hélène en publiant ce livre. Qu'est-ce qui vous a pris ?

ABEL ZNORKO *(soudain faible).* La réponse est là. *(Il baisse le fusil et montre la lettre que Larsen porte dans sa poche.)* Dans la dernière lettre. Celle que vous deviez lui porter.

Larsen saisit la lettre.

ABEL ZNORKO *(par réflexe).* Non, ce n'est pas pour vous…

Larsen sourit tristement. Znorko, tout aussi tristement, pose la carabine.
Larsen décachette et lit. Dans le même temps, Znorko, presque somnambulique, s'explique :

ABEL ZNORKO. J'ai eu très peur. Très peur. J'ai voulu voir Hélène. Elle a refusé.

ERIK LARSEN. C'était le contrat.

ABEL ZNORKO. C'était le contrat.

Larsen a fini de lire la lettre et la replie. Il regarde Znorko avec une certaine tendresse.

ERIK LARSEN *(doucement)*. Il fallait me dire la vérité, tout simplement. Je serais venu. Au lieu de me provoquer en publiant ce livre.

ABEL ZNORKO *(exaspéré)*. Mais je n'ai rien à vous dire ! Je ne vous ai pas provoqué et je ne veux pas vous voir ! *(Épuisé, il se laisse tomber sur le sofa.)* Quand mon médecin m'a dit que j'avais ce crabe en moi qui me mangeait progressivement, j'ai décidé que je ne me ferais pas soigner. Je ne voulais qu'une chose : revoir Hélène mais sans lui dire qu'il s'agirait de la dernière fois. Elle refusait de venir, elle invoquait le contrat. Il ne me restait qu'une solution : la provoquer. Aussi, lorsque mon éditeur est venu ici, ai-je risqué le tout pour le tout, j'ai tendu le paquet de lettres en disant : voici mon roman. Il l'a immédiatement publié. Et j'attendais la réaction d'Hélène. J'attendais qu'elle se mît en colère,

128

qu'elle débarquât ici, que... Et rien ne s'est passé.

ERIK LARSEN. Où est-il, le crabe ?

ABEL ZNORKO. Dans le poumon... comme elle...

Larsen a un geste désespéré.

ERIK LARSEN. Je vous envie d'être si proche d'elle... et de mourir comme elle, peut-être.

ABEL ZNORKO. Je ne crois pas que je vais mourir. Je l'ai cru. On m'a refait des analyses. Tout se résorbe.

ERIK LARSEN *(doutant)*. C'est vrai ?

ABEL ZNORKO. C'est vrai. *(Avec un rire amer.)* Je fais partie des cadavres qu'il faut enterrer plusieurs fois.

ERIK LARSEN. C'est vrai ?

129

Znorko ne répond pas. Larsen s'approche tendrement, lui posant la main sur l'épaule. Le geste apaise Znorko.

ABEL ZNORKO *(doucement, sans réfléchir).* De toute façon, ça ne me gêne pas de mourir... si je peux encore écrire. *(Un temps.)* Au fond, j'ai toujours dit que la vie n'est qu'une imposture. On nous y a mis sans notre accord, on nous en déloge malgré nous. Dès que nous croyons avoir touché quelque chose, la chose s'évanouit. Nous n'aimons jamais que des fantômes et les autres demeurent des énigmes que l'on n'éclaire jamais. *(Avec un rire douloureux.)* Je m'étais imaginé que, lorsque je mourrais, des voiles se soulèveraient, des beaux voiles lourds et épais, comme des jupons, pour qu'un instant, un seul, j'entrevoie la vérité et ses cuisses nues. Je dois être mort déjà.

ERIK LARSEN. Je vais rester auprès de vous.

Znorko se redresse et considère Larsen très sévèrement.

ABEL ZNORKO. Non, maintenant, vous devez partir. Naturellement, je n'irai pas à Nobrovsnik. Pas avec vous. Je porterai le deuil d'Hélène ici.

Larsen sent qu'il ne peut pas tenir tête à l'homme blessé, il rassemble ses affaires pour sortir. En partant, il quête un regard de Znorko : en vain.
Znorko, déboussolé, enfin seul, titube un peu puis s'assoit comme par réflexe au piano. Il se met à jouer les Variations énigmatiques.
Après quelques secondes, Larsen réapparaît, se mouvant lentement au rythme de la musique. Il s'approche de Znorko et dit avec douceur :

ERIK LARSEN. Vous savez, lorsqu'on l'a ensevelie, il y a dix ans, je pensais qu'en même temps qu'Hélène, c'était l'amour qui était entré sous terre. Et puis il y a eu vous, et elle à travers vous, et je me suis rendu compte que le globe n'était pas si vide.

ABEL ZNORKO. Il l'est, pour moi.

ERIK LARSEN. Qu'est-ce qu'un amour partagé ? Deux rêves qui par hasard s'accordent, un malentendu heureux, un malentendu, bien entendu, des deux côtés... Est-ce que nous ne pouvons pas nous parler à travers nos rêves ?

ABEL ZNORKO. Désolé. Mes rêves n'ont pas le même sexe que vous.

ERIK LARSEN. Moi, ce que j'ai appris pendant ces dix ans, c'est que l'amour n'a pas de sexe.

ABEL ZNORKO. Dehors !

ERIK LARSEN *(docile, en écho)*. Dehors.

Il s'approche de la porte et s'arrête.

ERIK LARSEN. On doit la vie aux morts. On la doit aussi aux vivants.

ABEL ZNORKO. Dehors !

ERIK LARSEN *(en écho)*. Dehors.

Variations énigmatiques

Larsen regarde la nuit s'assombrir. Il grelotte soudain. On doit percevoir la solitude qui l'accable depuis des mois.

ERIK LARSEN *(comme pour lui-même).* Au début, je ne t'aimais pas, Abel Znorko, tu n'es que suffisance, arrogance, prétention. Tu as passé plus de temps à prendre la pause du génie qu'à en manifester vraiment ; je n'écrivais que pour faire vivre Hélène. Et puis, j'ai découvert sous tes défauts une seule lumière, une petite flamme de bougie, vacillante, émouvante, attendrissante, terrible : la peur. *(S'approchant.)* Tu n'es que peur, Abel Znorko, peur de la vie que tu as fuie, peur de l'amour que tu as évité, peur des femmes que tu n'as fait que baiser. Tu t'es réfugié dans tes livres et sur cette île. C'est pour ceci que tu es devenu grand et que chaque lecteur se retrouve en toi : tu as plus peur que tout le monde. Tout est excessif en toi, la colère et l'amour, l'égoïsme et la tendresse, la sottise et l'intelligence, tout est saillant, abrupt, coupant, on s'y promène comme en une forêt sauvage, on s'y égare, on s'y perd, c'est vivant. *(Un temps.)*

Vivant. *(Un temps, timidement.)* J'ai besoin de vous.

Au loin, on entend la corne de brume du bac qui appelle.

ABEL ZNORKO. **Dehors.**

ERIK LARSEN *(vaincu).* **Dehors.** *(Larsen ne se résout pas à partir.)* Qu'allez-vous faire ?

ABEL ZNORKO. Vieillir. Depuis que je vous ai rencontré, je me sens des dispositions pour cela.

ERIK LARSEN. Non, pas vous.

ABEL ZNORKO. Vieillir en paix, sans inquiétude, sans descendance. Beaucoup d'argent et rien à faire. Je vais devenir un imbécile complet, Erik Larsen, un imbécile heureux. Je ne crois plus en rien, je n'attends plus de l'existence qu'une digestion facile et un sommeil profond. Le vide, Erik Larsen, enfin le vide. Grâce à vous. Merci. Adieu.

134

Variations énigmatiques

Larsen regarde l'obscurité qui désormais est tombée. Il frissonne.

ERIK LARSEN. Il fait nuit… il fait froid… *(Un temps.)* Adieu, Abel Znorko.

Il tremble, il semble tout petit. Le bac lance encore son appel embrumé. Larsen sort.
Une fois seul, Abel Znorko réfléchit puis, brusquement, sort par la porte du fond.
On entend deux coups de feu.
Silence.
Puis bruit de course.
Larsen réapparaît. Cette fois-ci, il a un grand sourire, comme si ce rappel le comblait. Abel Znorko rentre, sombre, le fusil à la main. Il regarde Larsen sans rien dire.

ERIK LARSEN *(avec bonne humeur)*. Il va falloir changer votre portail. Il est fusillé.

ABEL ZNORKO *(pudique)*. Je voulais vous dire…

ERIK LARSEN. Oui ?

ABEL ZNORKO. Je… je vous écrirai…

VARIATIONS ÉNIGMATIQUES

d'Éric-Emmanuel Schmitt

créé au Théâtre Marigny en septembre 1996

Mise en scène : Bernard Murat.
Décor : Nicolas Sire.
Lumières : Jacques Wenger.

Distribution : Alain Delon *(Abel Znorko)*
et Francis Huster *(Erik Larsen).*

Une production Jean-Marc Ghanassia,
Théâtre Marigny, Atelier Théâtre Actuel.

Théâtre

LA NUIT DE VALOGNES, 1991.

LE VISITEUR (Molière du meilleur auteur), 1993.

GOLDEN JOE, 1995.

LE LIBERTIN, 1997.

FRÉDÉRIK OU LE BOULEVARD DU CRIME, 1998.

HÔTEL DES DEUX MONDES, 1999.

PETITS CRIMES CONJUGAUX, 2003.

Le Grand Prix du Théâtre de l'Académie française 2001
a été décerné à Eric-Emmanuel Schmitt
pour l'ensemble de son œuvre.

Site Internet : eric-emmanuel-schmitt.com

Composition IGS
Impression Roto-Page,
Imprimerie Floch, avril 2004
Éditions Albin Michel
22, rue Huyghens, 75014 Paris
www.albin-michel.fr

ISBN 2-226-08461-4
N° d'édition : 22628 – N° d'impression : 59991
Dépôt légal : août 1996
Imprimé en France